Uncle Remus con chile

Américo Paredes

Arte Público Press
Houston
Texas
1993

This book is made possible through a grant from the National Endowment for the Arts, a federal agency and the Texas Commission on the Arts.

Arte Público Press
University of Houston
Houston, Texas 77204-2090

Cover design by Mark Piñón

Américo Paredes,
  Uncle Remus con chile/ by Américo Paredes.
      p.   cm.
  Includes bibliographical references.
  ISBN 1-55885-053-8
  1. Mexican Americans–Texas–Folklore. 2. Folklore–Texas. 3. Folklore–Mexico. I. Paredes, Américo
GR111.M49U53 1992
398.2'08968720764   92–14986

                                                                CIP

The paper used in this publication meets the requirements of the American National Standard for Permanence of Paper for Printed Library Materials Z39.48-1984. ∞

To my wife, for everything I owe her.

For assuming the greater part of our common burden during an increasingly difficult period of our lives.

I am indebted to the people who were willing to share their time and their skills with me. Some of them were kin, many were dear and trusted friends, others simply acquaintances, and still others helpful strangers. To all of them my heartfelt *gracias*, including those whose contributions do not appear in this volume because they did not fit its intended subject matter. No names are mentioned by prior agreement.

The fieldwork was made possible by a fellowship from the John Simon Guggenheim Memorial Foundation in 1962–63, supplemented by a grant from the University of Texas at Austin. To both institutions a belated acknowledgment.

To María Elena Reyes my thanks for her assistance in library research and proofreading of this final version. And to Frances Terry, who with her usual efficiency put the manuscript into presentable form, a special word of appreciation.

[T]he popular idea that the Mexicans are as a class treacherous knife-stabbers is gross and unjust; the lower (laboring) class of Mexicans are in fact as loyal and kindly as the idealized Uncle Remuses of the Old South.

—J. Frank Dobie, *The Flavor of Texas*
(Dallas, 1936; Austin, 1975), p. 32.

Bueno . . . . Sí. Pero con chile.

—Informant #24

CONTENTS

Uncle Remus con chile

Introduction

I must apologize to the serious reader for the title of this volume. If my years in academia have taught me anything, it is that a scholarly work should have a subtitle. In this respect mine falls short. It isn't that I didn't try. My first choice of a subtitle was "Mexican Jests and Legendary Anecdotes." But "legendary"? Text No. 1 is a sober eyewitness account by a reliable informant. Other texts are versions of actual happenings. Colored by emotion, it is true, but some of them may be closer to fact than the newspaper accounts and official versions of the same events. So perhaps "Mexican Jests and Oral History"? That implies the jokes have no relation to historical events. But they do; they were chosen from a larger corpus for inclusion in this volume precisely because of that. So after a few more tries I gave up the idea of adding the air of scholarship a subtitle affords. The finished volume is not so scholarly after all, though I once tried to make it so. But it is meant to be a serious piece of work, even though it comes before you not in a tweed jacket but in a *guayabera*.

It was in 1936 that J. Frank Dobie published *The Flavor of Texas*, which helped supply the title for the present work. One must remember that in the 1930s supposedly scholarly studies still were being published in Texas depicting Mexicans as treacherous and cowardly, a degenerate product of miscegenation between Spaniard and Indian. So Dobie's remarks must be seen as a step away from the extreme racism of some of his friends and colleagues. It is too bad, though, that Dobie defends the Mexican by switching stereotypes, from treacherous knife-stabber to kindly Uncle Remus. Of course, Joel Chandler Harris's Uncle Remus may not have told the little white boy all he knew. Behind Br'er Rabbit, as contemporary folklorists have shown us, are the trickster slave John, the hard-boiled Stagolee, the gargantuan Shine.

Uncle Remus Mexican-style also knew more than what he told folklorists like Dobie, who came around asking for whatever quaint things the old *tío* might know. A pepper-belly, as Anglos have called him since the 1830s, he was much more pungent than he seemed. Behind the treasure legends and the ghost stories, the weather lore and the sentimental lyrics were other kinds of oral literature Anglo folklorists scarcely knew about. I once told a friend of mine, a master performer of oral narratives, "You know, it's too bad you never met Frank Dobie. He really thought a lot about kindly Uncle Remuses like you."

"¡Uncle Remus una chingada!" he replied. Then he thought the matter over for a couple of seconds and added, "Bueno . . . . Sí. Pero con chile."

And that is pretty much what the texts that follow are about.

The greater part of my research for this volume was done in 1962 and 1963, during a year of fieldwork mostly along the Lower Rio Grande border country. For comparative purposes I also did less intensive work in north-western Mexico and the central plateau, at one extreme, and the Mexican American community of East Chicago, Indiana, at the other. The bulk of my material was collected during this 1962–1963 period, although some texts were added during summer trips to the Border in the late 1960s, and one or two as late as 1970.

The object of my fieldwork was to collect verbal lore that reflected the attitudes of Mexicans and Texas-Mexicans along the Lower Border toward Anglo-Americans, especially jokes and other narratives. A tape recorder was used in collecting the materials, except in a few cases where taping was not possible. Some texts, such as those narrated by informants 1, 2, 19, 47, and 57, were recorded in informal interview settings. More often I was able to create performance situations resembling natural contexts of narration. This procedure was especially successful on the Border, during *talla* (joking) sessions, where beer drinking and the presence of a "plant" were part of the occasion. The plant's job was to get other performers to narrate the kinds of material I was looking for by telling similar texts himself. I have described this procedure in some detail in "Folk Medicine and the Intercultural Jest" (Helm 1968, pp. 104–119).

Transcription was a tedious job, since a good deal of small talk, singing, and verbal dueling were intermingled with the narratives. Also, since the performers were not told what specific kinds of jokes I wanted, all kinds of jests were recorded. The 217 texts included here are only part of what was collected. Many excellent jests were excluded because they lacked an intercultural bias. Among them were parrot jokes, Pepito and Don Cacahuate jokes, and dirty stories about priests and nuns, as one would expect in a strongly Catholic environment.

A considerable store of texts remained, all dealing with intercultural conflict in one way or another. Most of them were from the Texas-Mexican border, but there were also a number from Durango, the Guadalajara area, the Mexican Federal District, and East Chicago. To bring the total within the limits of the slender volume I had in mind, I selected only one version of each story except when there was some good reason to include more than one. The versions I selected were those performed with the greatest artistry, and in this sense I have "edited" this collection, not by making changes in any particular text but by choosing some versions in favor of others. No. 88, for example, about the burro that told the time, was recorded in the mountains of Durango, in Mexico City, and in East Chicago, as well as in Brownsville, Texas; but the Brownsville variant clearly was the best one. I am not suggesting that

Texas-Mexican Border performers are superior to those of other parts of Greater Mexico. The circumstances of recording had a great deal to do with the quality of performance. The *talla* session, which brought out the best in good performers, was not easy to duplicate in places where I didn't know the performers beforehand and was not very well known by them. One interesting detail, however, was the use by Border performers of the "dos compadres" device to dramatize what in other recorded versions, especially those from Mexico City, simply was a one-liner. The two *compadres* are usually placed in a little beer joint, and the one-liner becomes a punch line at the end of a brief dialogue. Texts Nos. 189 and 190, for example, recorded from Border performers, were also collected in Mexico City as one-liners.

After deciding on these 217 texts, I followed the usual scholarly procedure and annotated them in accordance with the Tale Type and Motif indexes. Then, feeling that the end of my labors was near, I set out to finish the Introduction to the collection, a task I had begun some time before.

The Introduction was my undoing. It ran away from me, becoming a number of things I had not intended it to be: a short disquisition on J. Frank Dobie, Jeffersonian democracy, and Texas liberalism; an account of relations between Mexico and the United States from colonial times to the mid-1900s, with special emphasis on the doubtful benefits to Mexican liberalism of the U.S.-imported federal system; an essay on some North American ethnographers and their stereotyped image of Mexicans; a fresh look at *machismo*; and a truly lengthy discourse on names used by Mexicans and Anglos for each other, and occasionally for themselves.

I ended up with an Introduction longer than the texts it was supposed to introduce. The hefty portion on names (200 pages plus) I set aside, intending to make it into a separate work to be called "On Gringo, Greaser, and Other Neighborly Names." It still is in an intentional mode. Along the way I published a few things related to the collection: a preliminary survey of the texts in "The Anglo-American in Mexican Folklore" (1966); some translated texts in "Folk Medicine and the Intercultural Jest" (Helm 1968) and in *Folktales of Mexico* (1970); and "Estados Unidos, México y el machismo" (1967). Well into the seventies I took a section of the Introduction and used it as the basis for "On Ethnographic Work Among Minority Groups" (1977). And there the matter rested until 1991.

Changes have been made in the 1990's version of the manuscript, aside from the junking of the gigantic Introduction. All English translations have been eliminated. The texts that follow are in the language used by the informants, or perhaps one should say languages, since most of them are bilingual if not trilingual. Some of the jokes are untranslatable anyway, for example No. 197 about Ray Charles. In all of them too much is lost in translation, the pleasure of bilingual word play and code switching, for instance. A device used in some jests is telling most of the story in Spanish and then springing the punch line in English, as in No. 166, about George Custer's last thoughts at Little Big Horn. Scholarly works on Mexican folk narrative usually give the texts in the narrator's own words, with an English summary preceding each narrative. This method works quite well with legends and Ordinary Folktales, but it cheats the reader of jests because he is told the point of the joke before he reads it.

I have also done away for the most part with tale types and motifs. These references are quite useful when one is dealing with Ordinary Folktales, but they do not work well with oral history, and too many of the jokes involve the same one or two motifs. In the Notes I have focused instead on the way such motifs function in the narrative intent of the jests, trying to position the texts, whenever necessary, in their linguistic and affective performance situations. Some Greater Mexican and Caribbean analogues are mentioned in the Notes when they help illuminate such considerations.

Since the publication of "The Anglo-American in Mexican Folklore" in 1966, I have modified my views about cultural conflict as expressed in these texts. At that time I dealt with the conflict between Anglos and Mexicans exclusively. I am now aware that the conflict is many-layered: the Mexican anywhere in Greater Mexico against the *gringo*; the Mexican on both sides of the Border against the *agringado*; the Texas-Mexican against the Mexican across the Rio Grande (*los del otro lado*); the Mexican on both sides of the river against the Mexican from the central plateau.

Significant changes have taken place since the early 1960s both in Mexico and the United States. One must consider whether such changes have made this collection less relevant as an index of attitudes and more a history of things past. In *Raza Humor: Chicano Joke Tradition in Texas* (1980), José R. Reyna recorded very few jokes of the Stupid American type, although his collection was based on fieldwork done mostly in 1969 and 1971, soon after my own. The difference, however, may be a matter of emphasis and methodology. I threw my net more widely than Professor Reyna and worked with more informants. Furthermore, I was looking for texts dealing with interethnic conflict, although I did not advertise the fact. And as far as I know, Professor Reyna did not use the *talla* session cum beer bust method of recording, which relaxes inhibitions. I took down many more texts than are included here, and a good number of those I left out were analogous to those in Reyna's collection. I would imagine that many of the jokes in my collection are still being told, at least along the Texas-Mexican Border.

Oral history texts, such as those at the beginning of this collection, would be less common today. Bitterly anti-Gringo texts like those recorded from

Informants 19 and 47, would not be around, although the subjects they deal with are nowadays topics of sober research by Chicano historians. The old *rancheros* of the generation preceding mine had very strong biases against Anglos in general and Anglo women in particular, who were considered little better than whores. But it was not only the unsophisticated who expressed such views. In 1967 a Mexican newspaper ran a column in which the author decried the poverty of working-class Mexicans, " 'Los Hijos de Sánchez' como dijo el 'hijo de gringa' ... "

It is in this respect, the opinion of the Anglo woman, that I would expect a marked change in the jokelore of present-day *mejicanos*. Marriages between Mexican American men and Anglo women have been common enough for a couple of decades at least. One does not have to be a psychoanalyst to see the connection between the view of the American woman as forbidden fruit and the image of the American woman as shameless, promiscuous, and an insipid sexual partner. Another consideration is the liberation of the Chicana (and of young middle-class women in Mexico as well), which has erased the distinction between the manners and mores of young Anglo women and those of young *mejicanas*. It may now be the Chicana who has been given the role formerly associated with the Anglo woman, at least among the most unsophisticated Mexican males. In his fieldwork among migrant workers recently arrived from Mexico, Manuel H. Peña has noted that his informants professed dislike for Mexican American women (who for the most part ignore the migrants), because they were said to be too free and aggressive (Peña 1991).

Bitter reminiscence and sexist jokes may be on the wane, perhaps. Otherwise, I would think that the texts that follow still are pertinent to our times.

The Texts

1

Los excesos de los Rangers (# 57)

Han cambiado mucho las cosas desde la segunda guerra mundial. En otros tiempos hubo grandes excesos cometidos por la fuerza rural, los llamados Rangers. El asesinato del comandante de policía José Crixell en plena calle de comercio. Por un Ranger. Otro jefe de policía de Brownsville, Octavio Puig, que lo mataron por la espalda cuando entraba a una casa pública al otro lado del ferrocarril. Todo esto antes de los sediciosos, pues, existía pugna entre la ciudad y el condado. Es decir, los Rangers y los intereses de la Kineña. A todos los Cerda, por ejemplo, los asesinaron. A uno de ellos aquí en Brownsville, en plena calle de comercio también.

Y cuando los sediciosos hubo infinidad de asesinatos cometidos por los Rangers en contra de la gente mexicana que vivía en los ranchos. Dícese que en venganza. Pero era para hacerlos que abandonaran sus tierras. Hubo un éxodo de méxicotejanos al lado mexicano. Veía usted, día tras día, 125, 150, 135 guayines cargados de toda clase de enseres. Con sus arados y con dos o tres vacas estirando. Todo para el otro lado. Por causa de los asesinatos que estaban cometiendo los Rangers entre la gente rural mexicana. Hubo muchos que aprovecharon la situación, y se quedaban con ganado de los mexicanos, y lo vendían. Recuerdo que un hombre, comerciante al por mayor que tenía su almacén fuera de la ciudad. Le dieron unas cuantas horas para que abandonara el país. Tuvo que dejar todo lo que tenía. El Licenciado Canales protestó públicamente ante el Congreso del Estado. Y cesó la matanza en grande, aunque de vez en cuando mataban a algún pobre infeliz.

Yo fui testigo ocular de uno de esos crímenes. En el año diecisiete o dieciséis. Fui al correo por la correspondencia para la casa Cafarelli, que entonces trabajaba yo con Cafarelli. Y vi un "SP" que estaba allí con un ciudadano mexicano, un hombre alto, con las manos levantadas el pobre. Pero el "SP" miró para afuera y vio que llegaban unos Rangers. Entonces se asomó y les dio el pitazo. Uno de los Rangers entró al correo y el hombre aquel con las manos en alto y dando la vuelta. Y el Ranger tras de él y tras de él hasta que le dio un pelotazo aquí. [Points to back of his head.]

(A.P.: ¿Eso lo presenció usted?)

Estaba yo a unos cuantos pasos.

(A.P.: ¿Y por qué lo mataría?)

Pues, alegaban que traía una navaja. No traía nada, porque yo vi sus manos del hombre.

(A.P.: ¿Quién sería el hombre?)

Pues, parecía más bien una especie de sastre o algo así. Pero no me recuerdo el nombre. No tuve la curiosidad de tomarlo porque me sorprendió bastante esto. Y sobre todo la forma en que pasó. Sin premeditación de nada, sin ver nada. El "SP" salió—

(A.P.: El "SP" ya lo tenía allí.)

Estaba en el correo.

(A.P.: ¿Qué es un "SP"? ¿Special Policeman?)

Sí.

(A.P.: De aquí de la ciudad?)

De aquí de Fort Brown.

(A.P.: ¿Y era militar ése?)

Era militar. Pero ése salió y le dio el pitazo a ellos que acababan de llegar, los Rangers. Bajaron por allí y pararon en aquella parte.

(A.P.: ¿Y el hombre estaba con las manos en alto?)

En esa forma. Y lo siguió el Ranger, tras de él, tras de él, hasta que se lo echó al plato.

(A.P.: ¿Allí dentro del correo?)

Dentro del correo.

(A.P.: ¿Y el hombre nada más trataba de no darle la espalda?)

Pues, él no le daba la espalda, pues, ... Y el Ranger tras de él, que no le diera la cara. Con la pistola.

(A.P.: ¿No lo quería matar cara a cara?)

Le dio en la cabeza por detrás. No, no. Atrocidad y media en ese sentido.

2

"Vienen de mujeres putas" (# 47)

Lo cuentan, será verdad o será mentira. Que uno de los B____, cuando estaba estudiando para licenciado allá en Austin. En el colegio allá donde estaba estudiando, disgústase con un americano.

Dice, "¡Anda, indio! Ustedes vienen de indios. ¡Chango!" le dice el americano. En inglés, naturalmente.

"Sí," le dice. "Venemos de indios. Pero ustedes vienen de mujeres putas."

"¡Que-que-qué!" Se puso furioso el gringo.

"¿Crees que no he leído?" le dice. "Mira en tu propia historia y verás."

3

Las dos Virginias (# 19)

Es verdad. La mujer americana es perversa. Déjame contarte. Viene
por origen. Desde el año setecientos setenta y cinco, creo, ya eran las trece
colonias. Pero antes de las trece colonias vinieron sesenta y cuatro hombres
casados con su mujeres, mujeres livianas. Aunque un historiador mexicano
dice que fueron doncellas inglesas y austriacas y escocesas, y vinieron ...
¡mentiras! ¿Qué señorita iba a venir con un aventurero? Vinieron las mujeres
de las que hay muchas en todo el mundo.

Vinieron esos hombres y antes de hacerse independientes vinieron sesenta y cuatro mujeres y eran doscientos cuarenta y tantos hombres. Solteros
la mayor parte. Ahi está que en el año de mil setecientos setenta y dos en el
tanto de noviembre, acordaron todos los esposos que sus esposas, mujeres
... acordaron la tolerancia familiar. De que esos hombres solteros, esos
no podían tener mujer en ninguna parte. Si acaso alguna india allá, pero
¿cuándo las pescaban? Entonces vieron ese sentimiento de aquellos hombres. Que aquellas mujeres fueran a dormir cada noche con un hombre. Las
sesenta y tantas iban a dormir, a dormir, a dormir ... con todo el mundo.

Pos a los seis ocho meses Virginia Smith sale en cinta. Sale en cinta entonces. Ya había doctores y había hombres de pensar. La llaman a
interrogar.

Le llaman a Virginia Smith que venga para acá. Era una mujer roma,
según dicen. Romita, gordita. La más joven. No dicen la edad que tenía
pero era muy joven. Dicen, "Ven acá," le dicen. "¿Quién es el padre de ese
niño que está en tu vientre?"

"No lo puedo saber. Como duermo con todos ... "

"Bueno, ¿pero con quién sentiste más sensación?"

"Con todos."

Bueno, pues entonces nace. Nace la niña. La primer mujer que nace
en Estados Unidos de las colonias. No era Estados Unidos, eran las trece
colonias. La primera que nace en Virginia. Por eso se llama Virginia el
estado. Nace Virginia chiquita. Entonces le pusieron Virginia como su
nombre y como su apellido: Virginia Virginia.

Pos así será. Por eso hay dos Virginias. Y fue Virginia, y Virginia se le
quedó. Hay dos estados. De ahi viene eso.

4

Las hermanas muy parecidas (# 47)

Dicen que por ahi en Tejas, allí en Alice, había una familia que había tenido dos hijas. Muy parecidas las dos. Y se casaron las dos con hombres del mismo lugar. Muy parecidas, una y otra.

Hacen un baile, un festejo del Cuatro de Julio, como hacían esos hombres más antes. Van y bailan allí y toman y sabe Dios qué más. Pues los hombres ya andaban tomados y las mujeres un poco también.

"¿Vámonos?"

"Vámonos." Unos en bogue y otros a caballo.

Va uno de los hombres, ya bien tomado, y saca a una de las muchachas. Pos muy parecidas. "¿Vámonos?"

"Vámonos." Se montan en su bogue y se van.

Y el otro va y ensilla el caballo y saca a la otra y dice, "¿Vámonos?"

"Vámonos."

Allá fueron a dar, cada quien, a dormir con ellas. Ellas se habían dado cuenta, natural. Otro día en la mañana dice una. "Oye," le dice, "tú no eres mi marido. Yo soy fulana."

"Pos vamos pa' allá." Cáido de risa el gringo. ¡Cómo festejaron el chiste!

¿Que nuestra raza permita eso? Nunca. Es que entre estos hombres no les importa a ellos nada de la virtud de la mujer. Para ellos da la misma cosa. Ellos nombran señorita a una mujer que la largó el marido. Y nosotros acá, los mexicanos, no. Nunca queremos que nos pisen la cola. Nosotros queremos la virtud de la mujer antes de todo. Si no se asegura uno de eso ¡vamos pa' fuera! Y a estos no les importa nada de eso.

5

La quema de Antonio Rodríguez (# 19)

La opinión que tengo de esos hombres, para mi concepto como indio que soy ciento por ciento, mexicano que soy, que me enorgullezco por esto, y que Dios quiso que aquí me quedara [on the Mexican side of the river]. Podía haberme quedado allá pero no. Nunca quise. Dos míos pudieron haber nacido allá, pero no quise. Veo a esos hombres—los veo como unos enemigos. Que se grabe para que lo sepan y que me citen.

Desde que se formaron ellos eran poderosos. Nos quitaron la mitad de nuestro territorio como a un niño chiquito—como ése que anda ahi—y ellos un hombre fuerte. ¡Dame ese pedazo de dulce, si no te acierto, te asesino! Son políticos. ¿Qué están haciendo ahorita? Están tirando la piedra y . . . [hides hand behind his back] . . . No, oh no . . . Y por acá están tirando la piedra. Son vivos, yo los felicito. Yo los felicito porque son muy unidos. Y cuidadosos, a ahorrar y formar un pueblo. Y ahi van todavía; y ahi van y ahi van y ahi van.

Ellos dicen que creen en Dios, que hasta en la moneda dice, "In Good We Troost." Son mentiras, son mentiras eso, son mentiras. No, no, no; son mentiras. Quien cree en Dios se exime de hacer cosas . . . sí, se exime de muchas cosas. Estos hombres son poderosos, poderosos no cabe duda. Son muy vivos. Quieren pesar al mundo. [gesture, holding something in one hand]. ¿Qué hicieron con Cuba en el año noventa y ocho? ¿Que hicieron con Puerto Rico? ¿Qué hicieron con Filipinas? ¿Con Haití? ¿Con Panamá? Vamos a hacer el canal, que se hagan independientes. Y venga pa'cá todo. Son filibusteros, muy buenos para eso. Son financieros como no hay más allá. Confianza no se les puede tener. Nuestro gobierno dice, "Está bueno" [small voice] y por ahi vamos. Han hecho con nosotros cosas que de veras . . . [through clenched teeth] . . .

El nueve de noviembre de 1910, en Rockenspeet quemaron vivo a Antonio Rodríguez. ¡Esos son! ¡Ingratos! ¡Vanos! Levantaron una calumnia. Allí en ese Rockensprings, como a cinco millas de distancia o seis . . . era un pueblito entonces. Yo fui hasta cerca pero no llegué. Allí estaba la huesamenta quemada, según dicen.

Había un americano viejo de piocha y bigote, casado con una mujer joven. Porque esas mujeres así son, se casan con un hombre anciano rico pa' quedar . . . matarlo. Así quedan ellas ricas y ya a pasearse con todo el mundo. Eso es positivo, yo lo tengo estudiado. Y entre nosotros ahora comienza la misma cosa. La mujer tenía unos veinticinco o treinta años y el hombre era muy anciano.

Y había ese Antonio Rodríguez—que de medieros tenía tres negros trabajadores allí y cuatro mexicanos en el rancho. Muchas vacas y muchas labores. En Roquenfil. Les dice el muchacho en una junta que tuvo, "Yo no hallo qué hacer, hombre. ¿Qué consejo me dan? Esa mujer quiere que esté con ella pero yo no puedo, hombre."

"Oh, no," le dijo el negro, uno de los negros que estaban allí, "te mochan el pescuezo. Muy malas esas mujeres."

"Sí. Me mete para adentro y yo me le salgo y . . . bueno, ¿qué hallo que hacer?" Dice a los mexicanos y a los negros, juntos ellos allí. "Ya no voy allí."

"No," dicen, "no vayas." Dicen los negros, dicen los mexicanos, "No vayas."

"Pos, me llama, me llama que le vaya a hacer acá y que me meta pa' dentro, y que acá, y me trae ... Y ella enamorándome."

Ese caso está como el de José que cuenta la Biblia.

Sale en la mañana el americano, que se llamaba Tom quién sabe de qué. Ya no me acuerdo. En un bogue con una yegua alazana por cierto, según platicaban, a pagar quién sabe qué. Pos iba caminando. Entonces la muchacha, la mujer aquella, le habla al muchacho, "Antonio, ven para acá."

Dijo, "Ya me habló."

El americano camina, y al abrir una puerta de allá de la labor se acuerda que se le olvidaron unos papeles para negociar. Va y da la vuelta al bogue y se viene. La mujer que traiba y mete, que quería meter al muchacho para adentro. Y el muchacho, "No señora." Muchacho de dieciocho años de edad, muy bien parecido. Hablaba inglés por cierto, era de Yescas, Coahuila. De allí era nacido. "No señora," dijo, "no, pos no puedo. Me matan. Usted—"

Cuando se para. "¡Hey!" dijo. "¿Qué haces?"

"¡Este tal por cual!" Se hizo garras la ropa. "Me quiere forzar. Mira como ando. Me anda forzando."

"¡Ah, qué caramba!"

Dijo, "No señor. Ella es que me anda—. Mire como traigo la falda de fuera."

"¡Oh, ya me ha sacado la ropa a mí!" Y empezó a echarle inglés allí.

Luego-luego va aquel hombre (tienen un caracol) y empezó a pitar y a pitar y a pitar y a pitar. Allá vienen once americanos que estaban así, cerca en otros ranchos. Esto es cierto, esto pasó pero no lo dicen ellos.

"¿Quiubo, qué pasó?"

"¡Este hombre!" Ya con una carabina en la mano, allí lo tenía.

Dijo, "Yo no sé." Los negros y los mexicanos se arrimaron allí.

Dijo, "Este hombre andaba forzando a mi mujer. La andaba forzando este muchacho."

"No señor, no. Ella es la que me—"

"Sí, sí, sí [vindictive] ¡tú me andabas forzando!"

¿Y qué hacía? Luego-luego pegaron guayines, fueron y trajeron cuatro cuerdas de leña. Una pusieron así y otra aquí, y otra acá y otra acá [a square]. Y en medio pusieron un palo y lo amarraron con cadenas. Luego echaron tres cuatro latas de petróleo y le prendieron fuego. Y allí lo quemaron vivo. Eso es cierto.

Por último, no vamos más lejos. La bomba atómica que fueron a echarla a los pobres, donde murieron niños, ancianos y mujeres en estado. Ése es un crimen, crimen más grande que no puede haber. Yo nada me importa el Japón pero veo la justicia.

Yo he estado allí [in U.S.]. Nada me han hecho ninguno de ellos porque no les doy lugar a nadie. Pero a esos hombres no les tengo confianza, nada, nada, nada.

6

Los vendidos por Santa Anna (# 56)

Fue un vendido el tal Santa Anna, ¡qué carajos! Para qué es más que la verdad. De la forma más vil y cochina que te puedes imaginar. Él y sus generales, todos vendidos. Por unos cuantos millones de pesos que se fue a gastar Santa Anna a Cuba o no sé dónde. Contaba mi abuelo, que tuvo tierra allá cerca del Río Nueces ... Todo eso era Tamaulipas. Allá tenían grandes partidas de reses y caballada mi abuelo, De la Garza Falcón y muchos otros. Hasta que nos quitaron todo ese territorio y mucho más por la fuerza.

Contaba mi abuelo, que anduvo por ahi cuando la invasión americana—primero en Palo Alto y La Resaca y después de guerrillero con Falcón persiguiendo a Taylor hasta cerca de Monterrey. Contaba que cuando se empezó a decir que "ahi vienen" y "ahi vienen" juntó a sus vaqueros y se fue a presentar con Arista, que era el general en jefe. Todos los otros dueños hicieron lo mismo pero se fueron en grupos pequeños para sacarle la vuelta a las fuerzas yanquis.

Bueno, camino a donde estaba la tropa descubrieron un piquete de yanquis que andaban reconociendo el terreno. Se escondieron y allí pasaron la noche, hasta que empezó a clarear. Y entonces les dieron un albazo. Mataron a algunos y los demás corrieron y se metieron al chaparral. ¡Así como andaban! Dejaron caballos, monturas, armas ... ¡hasta las botas!

Pues muy bien. Llegan y se presentan. "A sus órdenes, mi general. Venimos a servir la patria. Aquí tiene usted esta caballada que le quitamos a los gringos."

¡Nunca se lo hubieran dicho!

"¡Suelten esos animales! ¡Quién les ha dicho que somos ladrones de ganado!"

Los soltaron, ¿qué iban a hacer? Hasta los quería colgar a todos el tal

Arista ese. Y así fue haciendo con todos los rancheros de por aquí que fueron a presentarse con él. Buenos hombres de campo que le hubieran servido como guerrilleros y exploradores. A todos los metió en las filas. Que quería soldados, no bandidos. ¡Mentira! Es que ya todo estaba arreglado.

Se rompió el fuego. Los gringos traían buena artillería, no se les podrá quitar. ¡Fuego! Y ¡fuego! Y ellos allí formados. "¡Mi general, déjenos avanzar sobre la artillería! ¡Nos están haciendo pedazos!"

"¡Aquí mando yo! ¡Manténganse firmes!" Allí se quedaron, haciéndola de blanco nomás.

Por fin un oficial de línea, un mayor—. Los gringos habían prendido el zacahuiste y en el humo gritó el mayor, "¡Ora!" Y se fueron sin más órdenes ni más nada, enfurecidos por entre el humo. Sobre la artillería. Ya estaban volteando los cañones cuando llegan tropas de línea. Y a puros cintarazos. "Vamos, ¡atrás! ¡A donde estaban en la línea!" Al mayor ese lo mataron, allí hincado en frente de Arista. ¿Y la artillería? Haciéndolos garras.

Decían que después del combate se encontraban fusiles atacados hasta la boca de pólvora y bala. Pues en el ruido del combate creían los pobres mochos que habían disparado y metían otro taco. La pólvora no servía, quizás ni pólvora era.

Así nos ganaron la guerra los gringos. ¡Con dinero! Y con traidores del interior que se vendieron.

Por eso es que a ustedes que nacieron allá les dicen "los que vendió Santa Anna." Bueno, ustedes son americanos. Hicieron bien en servirle a su país. Pero por mi parte, siento que no haiga ganado el Japón.

7

Villa y los aviones americanos (# 3)

Allá cuando andaba el Pershing ese, andaba dizque persiguiendo a Francisco Villa. Villa les jugó el dedo en la boca. Y ellos con miles de soldados, y de aeroplanos ni qué contar. Carranza le permitió a los gringos eso, que pasaran a territorio nacional. Por eso se lo echaron a Carranza poco tiempo después.

Pero a Villa nunca le hacían nada, nunca lo alcanzaban. Y de vez en cuando se devolvía y les daba un albazo y los hacía correr. Pero con los aeroplanos ... ahi sí batallaba. Andaban como auras los malditos, nomás viendo a ver si lo encontraban.

Dice Pancho Villa, "¡Voy a arreglar a estos cabrones!" Y llamó a los Dorados, que se vistieran de soldados americanos. Tenían los uniformes, pues bastantes habían matado. Bueno ... se visten. Y entonces les dice Villa, "Píntenme una bandera americana ahi." Se la pintaron.

Al buen rato pasan los aeroplanos. Vieron el campamento y la bandera, y todos los soldados muy bien formados que parecían la mera verdad. Pos se bajaron los güeros pendejos. Y allí los agarró Villa. Así fue como les quitó los aeroplanos. Nunca le hicieron nada.

8
Villa cena con los americanos (# 2)

Pos sí. ¿Tú dices cuando andaban detrás de Villa? Cuando lo andaban siguiendo. Pos ahi lo anduvieron siguiendo por aquellos desiertos.

Me platicaba un viejito que anduvo con él de muchacho. Decía que un día estaba la gente sin qué comer. Y ni donde, pues en el desierto y les andaban muy cerquita. Entonces dice Pancho Villa, "Orita les traigo comida. Nomás espérenme aquí."

Y se disfrazó, de viejo todo desgreñado y garriento que parecía méndigo. Se terció un costal y se fue. Bueno, al poco caminar allí estaba el campamento. El de los soldados. "Una limosnita por el amor de Dios [whining]." Pos ya se juntaron a verlo. Entonces empezó a chotear con ellos. Les cayó bien.

"Oh, you ser muy buen hombre. Ven acá." Y lo sientan a la mesa con ellos. Se dio un buen atrancón ... papas fritas, jamón, pan blanco. Ya que acabó. "Hombre, ¿tú tener niños, chamaquitos?"

"¡Oh, muchos! Tengo muchos muchachitos."

Pos le llenaron el costal con barras de pan y jamón. "Gracias, señores. Dios se los pague." Todo pa' la gente que tenía allí escondida.

Al salir del campamento había un árbol grande y allí les puso un letrero: "Esta noche cenó con ustedes Francisco Villa."

Otro día por la mañana por poco se mueren de susto los pobres gringos.

9

Pershing avergonzado (# 15)

Cuando andaban persiguiendo a Villa los americanos, pos se les hacía ojo de hormiga y nunca lo encontraban. Más que los güeros pendejos estos no sirven pa'l campo. Salen de campaña con catres y cocinas y pabellones pa' los zancudos. Dondequiera que van necesitan su jamón con sus "beans." Y el pan blanco suavecito, pa' no lastimar los dientes. ¡Lo que el mexicano! Pura carne seca y tortilla, chingado. Y si no hay más, de puros mesquites vive.

Cuentan que en aquellos tiempos una partida de rinches (dos trescientos) encorralaron a unos mexicanos. En un mogote. Pos, ¡éntrenle! Nadie quiso. Allí estaban enmontados los pelados aquellos y ¿quién les entraba? No hubo un rinche que se arriesgara. "Oh, s'awright, s'awright. They get hungry, they come out." Los sitiaron, ¿ves?

Y dos tres días, y una semana, y nada que salían los pelados. "Well, they must be dead." Si no había qué comer en el mogote, ¡ni agua! Otra vez, ¡éntrenle! Y no hubo quién. "Aw, they're dead anyway." Se fueron, todos los rangers. Y por otro lado salen los mexicanos, muertos de risa los cabrones. ¡Si había mucha tuna! Y mesquites, y maguacatas.

¡Cuándo iban a poder los gringos con la gente de Villa! Vendrían bien armados, sí, pero no sirven pa' nada, hombre. Luego-luego se cansaban. A la caballería se les rozaba el fundillo, y a los de a pie, ¡ni qué decir! No es soldado el americano, pa' qué es más que la verdad. Le gusta mucho darse la gran vida. Mientras que el mexicano está hecho a los chingazos. Sabe aguantar. [Voice: "Somos buenos los mexicanos ... pa' aguantar el hambre." Laughter.] Sí, también par' eso.

[Collector: "¿Y Villa?"]

No, pos allí en Carrizales les dio su buena chinguiza. Dicen que Carranza fue. ¡Qué Carranza ni que ojo de hacha! Fue Villa, nomás que le pasó los prisioneros a Carranza porque él no los quería entregar. Por eso dicen que cuando volvió Pershing, cuando cruzó la frontera de vuelta pa' Estados Unidos, se atascó el sombrero hasta las narices. Pa' que no le vieran la cara.

10
Villa y los tamales (# 15)

Pues sí. A los mexicanos nos gustan mucho los tamales. Los gringos son jamoneros, puro pan blanco con piernil. Pero ahi les hemos ido enseñando lo que es bueno.

Una vez Pancho Villa, después de perseguirlo aquí el Pershing, las fuerzas americanas ... Y llegó a un punto donde trataron, trataron de joderlo. Y Pancho Villa les mató a todos los soldados que traían los americanos. Después que les mató cuarenta o cincuenta americanos allí, los echó en un vagón americano. Y los regresó a Laredo. Y les puso un letrero en el vagón.

[playfully] "Ahi les mando las hojas," dijo. "Mándenme más tamalitos."

11
Gringos jamoneros (# 19)

A los gringos les gusta mucho el jamón. Es todo lo que comen, te diré. Jamón, jamón, jamón y más jamón. ¡No es natural, hombre! Por eso serán tan pendejos. Y tan pedorrientos también. Entre ellos puedes ver cosas que no suceden entre nosotros. ¡No señor! Tú lo habrás visto allá en Tejas, tú vives allá. Está la familia sentada en el corredor, el gringo con la madama y todos los cucarachitos güeros. Y de repente levanta la pierna y tira un pedo. ¡Pero fuerte! Así, en medio de la familia.

Y te diré que el mexicano, por pobre, por ignorante que sea, no hace tales cosas. ¡No! ¡Si son unos cochinos! De bandera deberían tener un cochino y no las barras y las estrellas. Un puerco de bandera.

Al mexicano le repugna eso. Una vez, muy de vez en cuando, lo verás comer jamón. Pero no todos los días.

Contaba mi papá que allá más antes, cuando llevaban caballada a San Antonio, les tomaba muchos días de camino. Dos tres semanas más o menos. Y hacían campo en el camino, verdad, donde había agua. Y a veces había gringos también, acampados cerca, y al atardecer les llegaba el olor del jamón que lo estaban haciendo frito. Pues olía muy bonito y empezaron los vaqueros a molestar a papá con que "por qué nosotros no" y que "también somos gente" y que "nomás pura tortilla y frijoles" y qué sé yo qué.

Pos de vuelta de San Antonio les consiguió jamón. ¡Bastante! ¡Ah, qué bien comieron el primer día! Pero al día siguiente lo dejaron en el plato. Y pa'l tercer día no lo querían ni oler. Cuando lo echaban al sartén se retiraban del campo, contra el viento, pa' que no les diera el tufo. Y les decía papá, "Querían jamón, pues coman jamón."

12

El asunto del Álamo (# 8, 14, 6)

A: Esos héroes del Álamo fueron héroes a huevo, porque no había por donde escaparse. Cuando yo estaba en la escuela no había mexicanos en el Álamo y ahora ya hay muchos. Uno de ellos fue Carbajal. He was a Mexican in the Alamo, and he held the door shut with one foot so the other heroes could not escape. No murieron con ganas, murieron a huevo.

B: Cuentan que en una junta de la barra de abogados en San Antonio, agarra la palabra un abogado de Oklajuma. Y dice ... que ... [deliberate pauses for effect] si el Álamo hubiera tenido puerta para atrás no hubiera Tejas. [Laughter.] La verdad es que no había pa' donde correr. Si no, hubieran ido a dar a Oklajuma. Como dice el licenciado, fueron héroes a huevo.

C: Por allá cerca de Houston dicen que hay un monumento a los "Heroes of the Texas Revolution." Y que está escrito en la piedra: "Thermopylae had its messenger. The Alamo had none." Pero por aquí lo decimos de otra manera: "Thermopylae had a backdoor. The Alamo had none."

13

Como es la historia (# 17)

Es que la historia es según se cuenta. Cada quien cuenta su historia a su manera. Es como todos los pueblos.

Ahi cuentan precisamente que un mexicano estaba en la Plaza de la Libertad en Tampico diciendo, "Por quince centavos les cuento las glorias de México en la Revolución Francesa."

Y se soltaba con la epopeya del Cinco de Mayo a todo lujo, verdad. Ignacio Zaragoza de Goliad, Tejas, y quién sabe qué. Que alternó y que,

que defendió, que derrumbó las huestes francesas. Que el primer soldado del mundo y quién sabe qué. Se ganaba sus quince fierros.

Y luego llegó un francés y le dijo, "Tenga un tostón," dijo. "Cuénteme las glorias de Francia en la Revolución Mexicana."

Dijo, [slyly] "Ah, no," dijo. "Esas que se las cuenten en Francia," dijo. "A mí no me salga con eso."

Así está la historia.

14
Los hermanos Cerda (# 15)

A Alfredo Cerda lo mataron en una tienda aquí. Los rinches. Lo cazaron como a un venado. Pero platicaban que fue un americano amigo suyo el que entregó a Ramón Cerda. Dueño de mucho ganado y ranchos, de la Kineña y todo eso. Por eso la tenía con los de Río Grande, porque les estaban quitando a los mexicanos, que eran los dueños.

Y le dijo a Ramón un hermano de él, "Mira, Ramón," dijo, "los rinches te andan buscando. Lleva tu pistola y lleva tu carabina."

"No," dijo, "pa' qué carabina. Traigo cinco tiros en mi pistola y con cinco rinches me entiendo." Porque era un hombre muy pelotero.

Bueno, pos en el camino, platicando con el nieves ese, que hablaba muy buen español, le quitó la pistola a Ramón Cerda. "Déjame ver tu pistola. Me la vas a regalar."

Cuando salieron los rangers. Lo agarran desarmado. Nunca creyó Ramón Cerda que el hombre ese lo iba a entregar. Lo amarraron a un árbol y allí lo empezaron a matar, poco a poco. Le daban puñaladas. Primero le dieron una puñalada en el ojo.

Decía Ramón Cerda, "¡Ay, mamá!" dijo. "Hacer esto con un hombre amarrado."

Y decían los rangers, ¿sabes lo que decían los rangers? [pause, then with venom] "You son-of-a-bitch!" Otra puñalada.

"¡Ay, mamá!"

"You no mamá. You son-of-a-bitch." Y así mataron a Ramón Cerda, de esa manera. Lo asesinaron. Eso es verídico, así pasó. Por eso es el agravio que hay entre las dos razas. [pause] No ... es que le tuvieron miedo. Si Ramón ha andado armado los rinches no le entraban. Nunca.

15

Jacinto Treviño (# 47)

Ese Jacinto Treviño fue el que les puso las peras a veinticinco a estos gringos sanavabiches. Y no le hicieron nada, ¡nada! Un peladito chiquito, así más o menos del tamaño tuyo. No dabas nada por él. La hacía de cochero aquí en Matamoros después de lo que sucedió. Y es que no era de borlote, no era hombre de pleito. Pero así son las cosas. Cuando el hombre es hombre tiene que defender su derecho.

Era de ahi por Los Indios. Allí tenían su laborcita él y su hermano, y le trabajaban a los bolillos también. Y así fue como sucedió la cosa, que estaban sacando agua del río y se descompuso la pompa. El hermano—no sé cómo se llamaba—se puso a componerla. Y que no andaba y que no andaba. Por fin viene el patón y le dice, "¿Hasta cuándo la vas a echar a andar? ¡Mexicano seboso, sanavabiche!"

"Oiga, míster," le dice, "yo no soy ni seboso ni sanavabiche." Y se baja de la pompa.

"¡Pues sí eres sanavabiche!" Y donde se estaba bajando le da con un fierro por detrás, en la mera cabeza. Lo mató. Un muchacho mediano, pendejo todavía pa' defenderse.

Van y le avisan a Jacinto Treviño que andaba en otra labor. Prontito fue por la pistola y se le encara al gringo. "¿Con que tú matastes a mi hermano?"

"Sí, pero no me mates tú a mí."

"¿Pos que crees que la vida de mi hermano no vale nada?" Y allí lo mató. Se echó al río y se vino a Matamoros.

Y ahi hubiera quedado. Pero la americanada daba mucho dinero por él y como tú sabes, nunca falta ... Tenía un primo, Pablo, del lado americano. Pues le picó lo del dinero y fue y les dijo a los rinches, "Yo se los entrego. ¿Cuánto me dan por él?"

"Pos que tanto."

"Trato." Le mandó un recado que viniera, que tenía que hablar con él. Lo citó en un lugar que ya conocían, del lado americano. Desde chiquitos jugaban por allí. Había un mesquite grande, muy grande en ese lugar.

"Sí," le mandó decir Jacinto, que iba. Habían escogido una noche de luna muy bonita, pa' poderlo cazar bien, y habían acordado que cuando llegara—como a la medianoche—ya estarían todos los rinches allí, escondidos.

"Tú le hablas," que le dijo el Rinche Mayor a Pablo, "pa' estar seguro que es él. Y entonces le tejemos."

¡Pero no era nada pendejo! Nomás se hizo bien noche y cruzó. Ya pa' las nueve o las diez estaba allí. No había nadie. Reconoció el terreno y se hizo detrás de un tronco grande que había, retiradito del mesquite. Al rato llegaron, dos carros de rinches. Con el tal Pablo.

"Pos que no ha llegado."

"No, si todavía es muy temprano." Ya se arrimaron al mesqute, a ponerse bien de acuerdo.

En eso les habla, "¡Pablo!" Donde voltea se lo echó. A él primero, por traicionero el jijo de la chingada.

Después les descargó la carabina. ¡Al montón! Nomás quedó el tiradero. Los que quedaron no hallaban dónde esconderse. Y en el borlote se les pela y allí los dejó, tirándose unos a los otros.

¡Ah qué chinga tan bonita les dio! Y él muerto de risa de este lado.

16
Cortez cautivo (# 48)

Cuando lo de Gregorio Cortez yo me encontraba ahi en Buda. Ya que lo tenían preso mandaron hacer un retrato ¡grandote! de Cortez. Sentado en una silla y rodeado de todos los rinches que lo habían perseguido. Así como se retratan los que van a la tirada y matan algo, venado o lión, o lo que sea. Así todos rodiándolo con las armas en la mano. Entre ellos me acuerdo que estaba un huellero que yo conocía, no recuerdo el nombre. Un aperlado de bigotes grandotes, que le colgaban de cada lado.

Pos, pusieron el retrato en la ventana, en una tienda en Buda. Y ahi va la gente a ver, así de gente [bunching fingers against thumb, signifying bodies pressing against each other]. Casi puros "blancos," como se dicen ellos. Y dice uno de los güeros, "Tantos hombres armados pa' pescar un mexicano. One little worthless Mexican."

Y le contesta otro, que era amigo de los cherifes, "Ese mexicanito, con carabina y pistola, vale más que todos ustedes los de Buda."

17

Pagando por Tejas (# 1)

Conoces a W_____ K_____. Es anglosajón pero habla el español como tú y yo. Se crio entre la gente nuestra en Brownsville. Un día vino a Matamoros y andaba por el Mercado, y vio un cinturón de vaqueta labrada. Un trabajo muy bien hecho.

Se fijó el tendero que lo estaba admirando y se le acerca y le dice, "Beautiful work. Very fine hand-tooled leather. For you, I sell it for thirty dollars."

"No me hables en inglés," le dijo. "Yo sé español, y sé que no vale los treinta dólares este cinturón. Te doy quince por él."

Se pusieron a regatear, y por fin compró el cinturón por veinte dólares. De regreso llegó por aquí a la tienda a saludarme, y me enseña el cinturón. Me dice, "El del puestecito quería treinta dólares por él, pero yo le regatié y me lo dejó por veinte. No me iba a robar como a cualquier turista."

"Comoquiera te robó," le dije. "Un ranchero de este lado lo hubiera conseguido por 125 pesos [$10 dollars]. Es lo más que puede valer."

Se enojó y empezó a echar pestes. "No te enojes," le dije. "Es que los del Mercado son muy patriotas."

"¿Cómo que muy patriotas?"

"Claro. Los están haciendo a ustedes que nos paguen por el robo de Tejas."

18

Tomás Alba (# 19)

Los gringos son muy vivos, no se les puede quitar. No dan paso sin huarache, como dice la gente. Por eso es que nos tienen abajo, por pendejos. Pero lo bueno que tienen ellos no es de ellos, se lo han robado al mundo entero. Esto es positivo ... los alemanes, los japoneses, los franceses. Todas sus invenciones. Hasta la lengua, hasta ellos mismos. Todo viene del extranjero. Hasta a nosotros nos han robado, así pobres que somos.

Tú habrás oído de Tomás Edison. Pues, era mexicano, de una familia de por ahi del interior, según dicen. ¡Vivo el muchacho! Alba. Alba se llamaba la familia. Y la criatura desde muy chiquito enseñó lo que iba a ser. ¡Vivo el huerco cabrón! Pero quién se iba a fijar en él. Los padres eran muy pobres, no le podían dar nada. Y el gobierno mexicano nunca quiso hacer nada por él.

Entonces viene esta pareja americana, de esos misioneros. "¡Oh, ser bonito el muchachito!" Pues era bien parecido también. Y ya lo fueron viendo y se dieron cuenta de lo vivo que era. "Nosotros llevar este muchacho a Estados Unidos," dijo la madama. "¿Ustedes dar como hijo?"

"Bueno." Pos qué iban a hacer los pobres padres. Tenían tantos. "Pues para su bien será."

Y se lo llevaron y lo educaron. Y le dieron su nombre. Edison. El gran Tomás Edison. Tomás Alba Edison, así se firmaba.

19

K Rations (# 8)

This is no joke. But you know how the *primos* are, always bragging they invented everything. You can tell them about the scientists of the world till you're blue in the face, and they won't believe a word you say. Well ... perhaps not so much now, with the damn Russians all over space.

But anyway, there's one thing that was invented in Mexico and not in the U.S.A. K rations! Long before the U.S. Army thought of it, Mexican soldiers in the Revolution had their own K rations. A hunk of *carne seca*, a few tortillas or *bastimento*, and a little bag of *pinole*. And the Mexican could stay on the warpath for days.

That's why Pershing never caught up with Pancho Villa. He was tied down to his kitchens. And that's where the Army learned about K rations. From Pancho Villa.

20

Mexican Inventions (# 22)

Mexicans haven't done much inventing, but if Mexicans ever invent anything—a new airplane, a submarine or something—it's going to be perfect. It will have no improvements.

You can illustrate that with the *metate* and the *molcajete*. They were invented centuries ago, during the days of the Aztecs or earlier. And who has improved on them? They are exactly as they have always been because no one can improve on them.

Even the business of having just three legs on them, that's efficiency. They don't need four. You have only three legs in the *metate*, three legs in the *molcajete*. They didn't put four, just sufficient to hold it up.

21
Otra invención mexicana (# 22)

One of the great Mexican inventions is cube sugar. You know, the kind they are using for polio vaccine now. A very important invention for medical science.

But it's a very simple process. You go down there and get the sugarcane juice and keep boiling it and boiling it and boiling it. And just about the time the thing is ready, you start dropping it in water.

It turns into little balls. Pero entonces les dices, "¡No se hagan bola!" And the little balls turn into cubes all by themselves.

22
Los dos Panchos (# 31)

Me contaba mi hermano que estando allá, en los laboratorios donde fue a trabajar [in U.S.], él dejaba su ropa allí en el vestidorio y se iba al lugar indicado para trabajar. Había un gringo allí que siempre le hacia burla. Le decía "Pancho."

Y yo le pregunto, "Bueno, ¿por qué te decía Pancho?"

Dice, "¿Pos no ves que Pancho Villa entró allí a Columbus y quién sabe qué tantas cosas hizo? Y tienen allá algunas personas que Pancho Villa fue un bandido y que entró a robar," dice. "Y a mí me insultaba diciéndome Pancho, porque me daba a entender que yo era un bandido también. A mí me daba coraje," dice, "pero no, no le decía nada."

Un día se le olvidó su reloj en el saco y lo dejó allí en el perchero. Cuando iban a salir, creo a lonchar, se acordó que el reloj lo tenía allí y fue a buscarlo ya para salir a lonchar. Había desaparecido el reloj. Entonces se lo dijo al encargado. Le dice, "Fíjese, señor, me pasó esto. Dejé aquí mi reloj y ya no está."

Por allí cerca estaba el gringo aquel. Y se le quedó mirando mi hermano y le dice, "A ver. Dejé aquí mi reloj, vengo a buscarlo y ya no está. ¿Quién es Pancho? Aquí hay otro Pancho."

23
Los mexicanos güeros (# 28)

¿Te acuerdas de los "suizos"? Así les decíamos cuando éramos más chicos. Son mexicanos, nacidos en México, pero muy güeros y con ojos azules. La mamá de Monterrey pero también muy güera. Y el papá era alemán de Suiza, que se había hecho suidadano mexicano antes de la Revolución. Vinieron a dar por acá a Brownsville ya grandecitos los muchachos.

Pues una vez le tocó al viejo tener que ir a Fort Worth y se llevó a los dos muchachos con él. Se pararon a comer en San Antonio y le siguieron, pero como hacía mucho calor se les ocurrió parar en New Braunfels y pasar un rato en el "swimming pool." Allí son puros alemanes, como tú sabes. Entraron, pos güeros y hablando inglés. Y Enrique ya estaba en la orilla del "pool" cuando le gritó al otro, "Paco, ¡traite las toallas!"

Todos se les quedaron viendo y algunas señoras hasta se salieron del agua. Y viene a la carrera el "manager" y le dice al papá, "Sorry, but we can't allow Spanish people in the pool."

El viejo le contestó en alemán y lo puso de la basura. Ya le contesta el "manager," también en alemán, que se podían quedar nomás que ya no hablaran en "Mexican." El viejo le echó de la madre en español y se fueron.

Es lo que pasa con estos sanavabiches. No es sólo por el color. Yo soy más blanco que muchos de ellos, prietos algunos cabrones. Odian todo lo mexicano, la lengua y todo.

24

Los muchachos japoneses (# 6)

Y aquí también en Harlingen sucedió algo parecido. En una de las escuelas de San Benito la maestra le hizo un "party" a los de su clase y después los llevó a nadar en el "pool" de Harlingen. Los echó por delante y ella fue la última que entró. Y encontró que a dos de sus estudiantes no los querían dejar que entraran. Dos muchachos chaparritos, morenos, con los pelos parados.

"What's the trouble?" dijo.

"I'm sorry, ma'am," le dice el de la puerta, "but no Spanish are allowed in the pool."

Se rio. "Oh, what a silly mistake," dijo. "They aren't Spanish. They're Japanese."

Entraron.

25

Talking American (# 21)

I was going to A&M, you know, and I came home on vacation. I rode back with an Anglo from the Valley who was also coming back. On the way we got to talking, and the Anglo was arguing that us people down here ought to stop talking "Mexican." After all, we live in the United States. Why not talk American?

Well, we stop to have a beer on the road, in one of those little central Texas towns. All the people around us at the bar are talking German. So I poke my friend in the ribs. "Is that Mexican they're talking? Sure doesn't sound like American to me."

26

Lástima-Americans (# 14)

A mí no me gusta que me digan "latino" o "Latin American." Dicen que la razón que nos dicen latinos los americanos a nosotros es porque "Latin" da a descifrar la palabra "lástima." Pero no hay cierta cosa que sea "latino." Somos mexicanos y también somos americanos, pero no latinos. El "latinoamericano" lo usan para decirnos que somos "americanos de lástima." "Lástima-Americans."

27

Shopping at Woolworth's (# 36)

My wife works downtown in an office, and her boss is Anglo. One day he broke his pocket comb and asked her to go buy him another at Woolworth's. It's nearby.

"I'm too busy," she told him. "Why don't you go yourself?"

"They don't like Anglos there. Make them wait and wait while they are taking care of people from Matamoros. If you go, they'll take care of you in a minute."

"Now you know how we feel in places away from the border," she told him.

28

¿Dónde nácio yo? (# 17)

Esto es verídico. Antes de la Segunda Guerra hacían que los mexicanos de este lado cargaran un "ID card" para probar que eran suidadanos. Si no, los detenían y les hacían pedo. Hasta que aquel muchacho que acababa de venir de la guerra, todavía en uniforme, se agarró a chingazos con uno de los del puente. Ora te preguntan dónde nacistes.

Pero una vez venía don D_____ del otro lado y le pregunta un guarda recién venido del norte, un yanqui, le dice, "¿Onde nácio yo?"

Y le dice, "No sé."

"Oh, ¿onde nácio yo?"

"No sé, señor."

"¡Yo preguntar dónde nácio yo!"

Y le dice el viejo, en buen inglés, "Look, how in the hell do you want me to know where you were born? That's what you're asking me in Spanish!"

Y lo dejó allí con la baba colgando. [Voices from audience: Conforme vamos teniendo colegio va cambiando todo. La Segunda Guerra fue la que nos dispertó. Nos hizo brotar.]

29

De tírale a tírala (# 10)

Éste es un caso verídico. Hemos tenido algunos gringos de intérpretes en la corte que son un asco. Creen que saben español pero echan unas malas de no creerse. Un muchacho muy jovencito había matado a otro y estaban juzgando al papá por ser cómplice en el asunto.

El muerto era mucho más grande que el matador y lo golpeaba cada rato y le quitaba lo que traía. Por fin le dijo el papá, "Amánatelas. ¿Pa' qué tienes esa veintidós allí?"

Pues fue el huerco y cargó la veintidós y se fue a buscar al otro. El papá detrás de él. Lo encuentra pero no tiene valor de tirarle hasta que el papá lo animó. Para que fuera hombre. Esto lo decían los vecinos y el padre mismo no lo negaba.

So he was being tried as an accessory to murder and for contributing to the delinquency of a minor. So he was put on the stand. Le pregunta el fiscal, dice, "And what did you tell your son?"

El intérprete, "Bueno, ¿y tú qué le dijites a tu hijo?"

"Le dije, 'Pos tírale. ¿Qué esperas?' "

Y el intérprete, "I told him, 'Throw it down. What are you waiting for?' "

Y eso fue lo que le salvó la causa. Salió "not guilty." Por el pendejo del intérprete. He couldn't tell the difference between "tírale" and "tírala."

30
El lápiz y la pistola (# 16)

Sí. En aquellos tiempos los mexicanos que estaban a la orilla del río valían algo. Nomás que vivían con aquella—con miedo. Con aquella debilidad de que no podían hablar su expresión porque tenían miedo que los fregaran. Porque desgraciadamente no tenían educación. No sabían inglés. No podían defenderse.

Porque no se trata, digo yo, de defenderse con carabina o pistola o con las manos. Defenderse con el pico. Porque la diplomacia hace más que las armas. Y si desgraciadamente la población que teníamos aquí en aquel entonces no teníamos preparación, no teníamos vocabulario con qué defendernos. ¿Pos qué hacíamos? Estabamos vencidos.

Por eso es que yo todo el tiempo digo que le tengo más miedo a un hombre con un lápiz que no a un pelado con un treinta-treinta o una escuadra. Porque al de la pistola yo le puedo contestar, pero a un hombre con un lápiz, cuídate de él.

31
La discriminación (# 50)

Andaban haciendo un "survey" en el estado de Tejas, para ver si había discriminación en las escuelas. Y le escriben al superintendente de las escuelas de Rio Grande City. Que si había discriminación en sus escuelas. And he answered, "There is no discrimination down here. We treat Anglos just like everybody else."

32
¡Adiós! (# 21)

¿Te conté de este muchacho negro que entró a una cantina rumbo al Puerto? Ordenó una cerveza. Le dice el gringo, el bartender, "Sorry, we don't serve niggers here."

Dice, "What do you mean 'nigger'? I'm a Mexican."

Se queda viéndolo el bartender [sizing him up]. Bueno, le sirve la cerveza y se va pa' l'otra punta de la barra. Al rato empieza aquél a golpear la barra con la botella vacía. "Bartender, another beer!"

Y el bartender, "Listen here. I still say we don't serve niggers."

Dice, "I'm no nigger. I told you I was a Mexican."

Le sirve otra cerveza y se retira. Al rato ahi'stá aquél golpeando la barra. "Another beer!"

Viene el bartender. "Listen, are you sure you're a Mexican?"

"Sure, I'm sure."

The guy gets a gun from behind the bar and points it at him. "Goddamit! If you're a Mexican say something in Mexican!"

Se levanta el negro y dice, [elegant wave of the hand], "Addy-oze, mo-therfucker!"

33

Johnny Eagle's-Nest (# 55)

Esto sucedió en Harlingen o más al centro del estado, según me han contado. Antes de la Guerra Mundial. Llega este tipo a un restaurant de lujo, de esos con "headwaiter" y todo. Y entra. Y se le quedan viendo. Chaparrito así más o menos como yo. Moreno retetostado, con los pelos parados. Bien federal.

Y viene el headwaiter, a la carrera. "I'm sorry but we don't have a table for you. We don't serve Spanish people here."

Y le dice, "Spanish? Do I look Spanish?"

"Why, why—." No hallaba qué decir el gringo, pues ni que lo bañaran con talco podría pasar por gachupín el pelado.

"I'm Johnny Eagle's-Nest," le dice, "a noble red man from the Plains."

"Oh, I'm sorry, please excuse me." Y lo llevaron a una mesa y le sirvieron todo lo que pidió.

Ya que terminó llama al "headwaiter" y le dice, "It sure makes a difference how you pronounce your name. I told you my name was Johnny Eagle's-Nest, and I wasn't lying. But I usually pronounce it 'Juan Aguilar.' "

34

Dogs Allowed (# 7)

Now that you mention these little towns in central Texas. There was one in which they had a restaurant with a sign that said, "No Dogs or Mexicans Allowed."

So down the street just a little ways was another restaurant run by some Mexican people, and they put up a sign: "Dogs Allowed. Gringos Too."

35

No comía de eso (# 7)

Fue un mexicano a un restaurante por allá en el centro de Texas. Entró y se sentó en una de las mesas. "Let me see the menu."

Entonces viene un mesero, "I'm sorry," dice, "but we don't serve Mexicans here."

"What the hell!" dice. "I don't eat Mexicans!"

36

Anglos Unite! (# 6)

Esto pasó en Crystal City cuando Cornejo. Los mexicanos ganaron las elecciones. ¡Barrieron con todos los gringos, chingao! All-Mexican city council, Mexicans on the school board, in the police department. ¡En todo!

Entra un Anglo a una cantina y pide una cerveza. El mexicano que estaba de cantinero lo mira y le dice, "I'm sorry but we don't serve people like you. This is a Mexican town, you know."

Se sale de la cantina el gringo, muy triste, con la cabeza agachada, y casi se topa con un negro grandote que iba pasando. "What'sa matter, man?"

"Oh, that Mexican bartender in there. He threw me out. Said he didn't serve my kind."

"Cheer up," dice. "There's a bar down the street run by a friend of mine. I'll treat you to a beer."

"Oh, I don't know," dice el gringo. "I don't think I feel like a beer anymore."

Lo agarra del brazo el negro. "Come along, motherfucker! Us Anglos got to stick together!"

37

Mr. Thomas (# 7)

Éste era un cabrón muy corvero que todo el tiempo que iba—he would mooch off of everyone. Este ... drinks you know. And ... ya nadie le quería comprar nada. Fue y se vistió todo de luto, traje negro, sombrero negro y todo. Corbata. Y entró a la cantina y se paró allí en la barra. Se puso muy triste, haciendo la cara triste. Luego ... orita lo vieron todos, vestido de negro.

"¡Ay!" dice. "¡Pobrecito de Mr. Thomas!"

"¿Pos qué pasó, hombre?"

"¡Pobrecito de Mr. Thomas!"

"¿Pero qué fue?"

Y él nomás, "¡Pobrecito de Mr. Thomas!"

Por fin dice uno, "¿Qué Thomas, hombre?"

"Ahi cualquier cosa," dice. Al cantinero, "Lo mismo que el señor que m'invita."

38

Mr. Son D'él (# 9)

Cuando estaba aquí la aviación, this guy's name was Sundel and he was in charge of the shops. And the guys in the shops used to shoot dice every once in a while. Estaban tirando dados, ¡zas y zas! Jugando ¿ves? Y estaba el crowd, y 'staban tirando.

Y en eso que llega el viejo y los pesca jugando. Pero estaban tan metidos que ni cuenta se dieron. En eso, el que tenía los dados tiró y hizo el punto, cuando voltea uno y dice, "¡Sundel!"

"¡Son d'él una chingada!" dice. "¡Si todavía son míos!"

39

Little Jesus (# 8)

Y cuentan también de esta monjita, gringa, que se había educado en un convento en Saint Louis o por allá. No entendía palabra de español pero la mandaron pa'cá, a la Inmaculada. No tenía mas que huercos mexicanos en la clase pero todos sabían algo de inglés, así es que no era tan grande el problema. Donde sí batallaba era con los nombres, no los podía pronunciar. Así es que hizo lo de siempre, les cambió los nombres al inglés. A Tomás lo hizo Tommy, Juan era Johnny, José era Joe, y así. Pero había un huerquito que no sabía qué hacer con él. Le había caído mal desde el principio. Era muy prieto y aplastado el huerco cabrón que parecía sapo. Y se llamaba Jesús. [in English]: J, E, S, U, S. She felt it was something like blasphemy to call the kid Jesus. Pero no había remedio, así es que le decía, "Jesus," pero no le hablaba muy seguido y cuando levantaba la mano, pos nomás le apuntaba con el dedo.

Y no era lo peor del asunto. La monjita había sacado su "major" en música y le gustaba mucho cantar, así es que trató de organizar un coro con los muchachos en su clase. Toca que a Jesusito le gustaba mucho cantar pero no podía el pobre. Hay un dicho, que el mexicano que no canta en México no nació. Pues, Jesusito no daba la medida, además de no haber nacido en México. Tenía un buen vozarrón pero más desentonado que una chingada. Cada vez que la monjita hacía que cantaran los muchachos, ahi estaba la voz de Jesusito, rebuznando como burro. Tan fuerte que no se oían las voces de los demás. Y a la chingada con el coro. Le hacía la vida muy pesada a la pobre monjita, pero la santa mujer se resignaba. Después de todo, a fin de año lo pasaba al huerco, y ahi que se toreara otra con él.

Así estaban las cosas, cuando una tarde muy tranquila, out of a blue sky, se asoma alguien a la puerta y dice, "¡Aquí está el Obispo! Anda haciendo revista de toda la escuela." Y antes de que pudiera decir la monjita, "Oh, my!" allí estaba el Obispo parado en la puerta de su cuarto.

No se le ocurrió nada más que hacer, mas que echarle una sonrisa y decirle a la clase, "All right, children. Let's sing for the Bishop!"

Pero ya saben como son los huercos chicos. Ni siquiera abrieron la boca. She clapped her hands and said as gaily as she could, "Children! Children!

Let's sing for the Bishop."

Nada.

Y otra vez, casi llorando, "Won't *anybody* sing for the Bishop?"

Y allá a mero atrás, levanta la mano Jesusito, "Me teacher! Me teacher!"

Y lo mira y dice [indignant], "Why Jesus! You can't sing!"

Y dice el Obispo [bluff, hearty], "Well, goddamit! Let him try!"

40

Manzanas pa' la Teacher (# 6)

Esto pasó en una de las escuelas públicas aquí. La maistra era Anglo pero tenía gringos y raza en la misma clase. Un día entró y estaba una manzana en su escritorio. Grande la manzana y bien colorada.

"Oh, what a beautiful apple!" dice. La levanta. "And it has four letters carved on it: L,O,V,E! That spells 'love'! Who could have put it on my desk?"

Se levanta una muchachita Anglo. "I did," dice. "It's from all of us girls, because we love you."

"Oh, thank you so much! Thank you, Edith! Thank you, Mary Jane! Thank you, Alice! Thank you, Leticia!" Y así pasó lista de todas las gringuitas, pero cada vez que llegaba a una de las chicanitas la brincaba. [gestures as if pointing to individual members of the class.] Nada de "Thank you, Manuela! Thank you, Carmen! Thank you, Sinforosa!"

Pues otro día encontró otra manzana, más grande y más colorada. La levanta y dice, "Oh, what a beautiful apple! And it has four letters carved on it: N,I,C,E,! That spells 'nice'! Who could have put it on my desk?"

Y se levanta un muchacho Anglo. "I did. It's from all of us boys, because we think you're nice."

"Oh, how sweet! Thank you, Wilbur! Thank you, Everett! Thank you, Douglas! Thank you, Oliver!" Gracias a todos los gringuitos pero nada de gracias a los chicanitos.

Llega el otro día y ahi estaba otra manzana, más grandota y más colorada todavía. "Oh, what a beautiful apple!" dice. La levanta. "And it has four letters carved on it: F,U,C—." Se pone colorada. "*Who* put this apple on my desk!!"

Se levanta uno de los mexicanitos. "I did, Miss."

"Why you little—! What does this mean! Answer me!!"

"Yes, Miss," dice el huerco. "It means 'From Us Chicano Kids.' "

41

'Sté qué dice (# 7)

Este individuo andaba ya bien mariachi cuando llegó al juego. To a football game. And he was ready to take off. Ya sabes como se pone de gente a la entrada. Muy grueso. And what the heck, he was in a hurry. He was shoving people out of his way.

Hasta que le dice un gringo, "Hey, fellow, take it easy! Take it easy!"

"Muy bien, gracias. ¿Y usted qué dice?"

42

No más inglés (# 15)

Hubo una vez que aterrizó un americano en La Burrita. Ya saben donde queda La Burrita, cerca de la orilla del río, en una loma y hay un llano más abajo. Pues, este americano se perdió o se le acabó la gasolina o quién sabe qué. La cosa es que aterrizó allí en el llano y se vino todo el camino tratando de hablar con la gente, pues no sabía ni en dónde estaba. Pero no sabía ni una palabra de español y todos nomás le hacían así [negative waving of the hand.]

Y así se vino hasta que llegó a La Burrita al tiempo que mi Tío H_____ salía a la puerta. Acabado de bañar, en camiseta y con una tualla, secándose pues hacía mucho calor. Era un hombre grandote, colorado.

Y nomás lo vio el gringo y se dejó venir a donde estaba. "Hello, there!"

Y mi tío le dice, "Jaló."

Era todo lo que necesitaba el pobre, pues ya venía desesperado. Y que se suelta con, "Will you tell me this?" y "Will you tell me that?" Y hable y hable a todo vuelo.

Entonces le dice mi tío [hands held before him, palms outward]. "¡Para, para cabrón! Hasta allí nomás. Si nomás te saludaba."

No sabía más inglés que "Hello."

43

Houses (# 8)

El Juez _____ ha vivido muchos años en la frontera pero nunca ha aprendido español. Una vez vino a Matamoros a mediodía a comer con algunos invitados. Pero tuvo que retirarse antes que los demás porque tenía un pendiente aquí en Brownsville. Se subió en un libre y le dijo al chofer, "To the courthouse."

Se arrancó el pelado aquel y al rato se dio cuenta el juez que no llegaban al puente. Oyó música y gritos y vio para afuera. Viejas medio encueradas sentadas en las puertas. Le gritó al chofer, "Hey! Where are you taking me?"

"Sure! Me take you whorehouse."

"Not whorehouse! Courthouse! Courthouse!"

Se para el chofer y se rasca la cabeza. "Me never hear that word before."

44

S.O.C.K.S. (# 14)

Llegaron unos braceros a Chicago. Y allá, en esos tiempos, no había razas en las tiendas trabajando. Va uno de ellos a la tienda a comprar unos calcetines, que le hacían falta. Y le dice a la dependienta, "Quiero un par de calcetines." Natural. No le entendió. Llama a otra que tampoco le entendió.

"Calcetines, calcetines." Y hace señas para los pies.

"I think he wants a pair of shoes," dice una.

"That's it," dice la otra y va y le trae unos zapatos.

"No, no. Calcetines."

"I think he's saying sneakers," dice la otra y va y le trae un par de sneakers.

"No, no," dice. "Calcetines." Y hace como que se está poniendo un calcetín. Por sobre el pie y arriba hasta la pierna.

"Boots! Boots!" dicen las dos. "That's what he wants." Y va una y le trae un par de botas.

"No, no, no." No traía calcetines el pobre para enseñarles lo que quería. Pero le da un tirón a la camisa y después hace como que mete la mano en algo y abre los dedos.

"I think I know what he wants," dijo una. Y fue y le trajo un par de calcetines.

Se alegró el pobre bracerito. "¡Eso sí que es!" dijo.

"Well, you don't have to spell it out," dice la otra. "Why didn't you say so in the first place?"

45

La suerte del phobre (# 6)

Este mexicano era del otro lado pero tenía sus papeles. Y vivía aquí en el barrio, de este lado. Un año anduvo en las pizcas por allá en el norte y le fue bien. Hizo algún dinerito. Y se le ocurrió comprarle un TV a la familia. Se echó cincuenta dólares a la bolsa y se fue pa'l centro. En una tienda por la calle Elizabeth vio muchos aparatos y entró.

Lo recibió un dependiente, también raza pero medio presumido. Vio uno marca Phillips que le gustó. Dice, "Perdone, señor, ¿cuánto vale este Pillips?"

Le dice el otro, el dependiente, "No es Pillips. Se dice Filips. Y *cuesta* trescientos dólares."

No traiba más que cincuenta pero siguió viendo. "Y este Pilco, ¿cuánto vale?"

"No es Pilco. Es Filco y *cuesta* quinientos dólares."

Y dice el nacional, "¡Futa madre!"

46

Puse (# 14)

Andaba un americano tomando con unos mexicanos. Y ya habían tomado en varias partes, y un mexicano pagaba una parada y el otro pagaba otra, y esto y l'otro. Y el gringo nomás tomando. Ya cuando llegaron a cierto lugar andaban poco quebrados. Y dice, "Bueno, paga por unas."

"No, yo las puse allá."

"Pues yo también las puse acá, en l'otro lugar."

"Pues yo también las puse allá en el otro lugar."
Dice el gringo, "All right. Forget about pussy and let's have some beer."

47

Frijoles y cabritos (# 21)

It was two Anglos that had just come out of a conversational Spanish class, and one of them asked the other, "Have you learned—. What have you learned in the class you're taking?"

He says, "Oh, I learned a good one today," he says. "I'm really advancing in my Spanish."

"Well, say something."

"Well, let's see … ah … Oh, yeah, here it is. ¿Dónde frijol, cabrito?"

"I don't seem to—. What do you mean by that?"

"Where you been, kid?"

48

El comedor (# 14)

Va un americano a la capital, a México, y éste llevaba mucha hambre. Y pidió de comer y después pidió otro plato. Y le quedó hambre y pidió otro plato.

Y entonces, pues sacó el diccionario y vio que "how" era "cómo" y que "much" es "mucho."

Y llama a la mesera pa' pedirle la cuenta y le dice, "¿Como mucho?"

Y le dice ella, "Demasiado, señor."

49

Alto (# 18)

Este americano fue a México, en su carro propio. Y iba manejando allí por una calle cuando ¡brrrrrt! Un pitido. Lo paró la chota.

"¡Que por qué se pasó así nomás! ¿Pos que no sabe leer? Mire. Allí en letrotas grandotas dice, ¡ALTO!"

"Yo vi. Muy alto. Pero ¿dónde decía que me parara?"

50

Sima (# 13)

Estaba este muchacho mexicano en junior high, y estaba tomando una clase de español. El resto de los estudiantes eran todos Anglos. Y estaban repasando el vocabulario.

La maestra les preguntó qué quería decir "sima." Ninguno pudo contestar. Escribió la palabra en el pizarrón: S,I,M,A. Por fin le pregunta al muchacho mexicano, que estaba medio dormido, "Can you tell the class what *sima* means?"

"Yes, ma'am," he says. "It means 'Yes, Mother.'"

51

Yes (# 7)

Pues había un montón de gente allí porque estaba un hombre caído, golpeado. Le habían pegado en la sien y quedó sin sentido. Todos hechos bola, mirándolo. Cuando vino la policía. "What's going on here?"

Nadie decía nada porque no sabían inglés. Por fin dice el empleado, "Well, don't anyone of you speak English?"

Y un pelado, "Me, míster."

"What happened to this man?"

"Well, somebody hit him in the one hundred and he hasn't come back to yes yet."

52

Y otra vez "yes" (# 12)

This was a Mexican who went to New York and needed a pair of new shoes. He went to a store and got a pair, but he couldn't explain to the clerk why he didn't like them. Finally he used the dictionary and said, "They don't give of yes."

53

Catarro de pecho (# 25)

Va esta vieja mexicana a ver al doctor. ¡Cargada de huercos la tonta! Llevaba media docena con ella, todos chiquitos. Tenía catarro de pecho, como dice la raza, y no podía respirar. Ya se 'hogaba y ya se 'hogaba. Vieja gordota.

Por fin entra a ver al doctor con toda la retajila de huercos detrás de ella. "What's the trouble?" dice.

"Oh, doctor," dice, "I don't know. I can't breed anymore; I just can't breed."

Se la queda viendo. "Well, lady, don't you think it's just as well?"

54

Los del otro lado (# 20)

Algunos del otro lado tienen tarjeta pa' venir a trabajar acá. Y como la gasolinera está a dos cuadras de donde se paran los autobuses, muchos me caen por aquí. Buscando trabajo, y de vez en cuando los ocupo. Hay tontos y vivos, y otros que son más que vivos.

Tenía uno que se llamaba Juan. Lo ocupé para que entrara a las ocho y por los primeros días fue muy puntual. Pero después empezó a llegar a las ocho diez, las ocho quince, las ocho veinte. Una mañana lo vi llegar como a las ocho treinta. Ya perdí la paciencia y salí y le dije, "Mira, Juan. Ocho treinta." Y le enseñé el reloj con to'y pulsera.

"¿Ocho treinta, patrón?" dice. "Tan bonito reloj. Es muy barato, es una ganga. ¿Dónde lo compró?"

"¡Son las ocho y media, cabrón!"

Y hay otros muy brutos, tan brutos como tirando a pendejo. Tuve otro que se llamaba Lauro. Llega un carro allí y se para.

"A ver, Lauro. Vele las llantas."

Regresa adentro donde estoy yo. "Son blancas, patrón."

"No, hombre, no seas bárbaro. Fíjate cómo están."

Y bueno, viene de vuelta. "Están en el rin, patrón."

"¡Oh qué pelado tan bruto! ¡Mídeles el aire!"

Y hay otros que nomás vienen a tomarte el pelo. Hubo un individuo que llegó allí al garaje, dizque buscando trabajo. "A ver, ven para acá. ¿Cómo te llamas?"

Dice, "Me llamo Talco Garza."

"Hombre, hermano, párate. Te dirán el Talco pero no te llamas Talco. Ése no es nombre."

"Pues sí es," dijo. "Sabe que fue el último deseo de mi mamá, pues cuando yo nací murió ella. Y antes de morir dijo, 'Pónganle talco al niño.' Y así me pusieron."

Puras puntadas.

55
Se busca un carcelero (# 10)

Cuando Porfirio Díaz todavía estaba en el poder se pasó un edicto. Que se echara a la cárcel a todo hombre culpable de adulterio.

Se juntó el cabildo de Matamoros. Y dijo uno de los regidores, "¿Y quién nos da vuelta a la llave?"

Todos tenían sus queridas.

56

Pin marín (# 8)

Como consecuencia de la Revolución quedaron en el otro lado muchos individuos enmañados a hacerse de lo ajeno. Especialmente de las vacas de los vecinos suyos. Así es que mandó el gobierno que se formara una Acordada, una especie de "posse" compuesta de gente local. Y un día salió la Acordada a buscar un robavacas que habían reportado por allí.

Y cuando estaban todos listos se para el jefe de la Acordada en los estribos. Mira pa' todos lados y dice, "Pos si aquí estamos todos. ¿A quién vamos a buscar?"

57

El tonto-loco (# 17)

Cuentan que unos turistas vinieron a la feria en Cadereyta que se celebra en agosto. "Nomás nos tomamos una cervecita allí, en la mera esquina de la plaza."

"Vamos," dijo.

Dijo, "Oye, pero no se vayan a sorprender. Aquí hay muchos locos," dijo, "pero no se preocupen. Son indefensos, no son peleoneros ni nada. A ver, César, una cervecita pa' todos."

Ya les sirvió la cerveza a todos. Y estaba un muchacho sentado allá en el fondo en una mesa de billar, porque tienen mesas de billar allí. Y les hizo una simple caravana, "Buenos días."

"Miren," dijo, "allá está uno. Está fajado," dijo, "eso no lo duden."

Y dijo, "Háblale." Y le hablaron.

"¿Qué se les ofrece?"

Dice, "Mira. Aquí tienes un billete, un peso americano, y aquí tienes un tostón. [gesture, laying them on table side by side] Te vamos a regalar uno de ellos. Agarra el que tú gustes."

Y arrastró el muchacho el tostón. Dijo, "Muchas gracias, señores."

Dijo, "¿Ya ves? Pelado tan bruto. Le pusieron un billete de a peso y un tostón y arrastró el tostón."

Dijo, "A ver, hombre." Dijo otro. Y entonces le hace la misma operación. Y vuelve a arrastrar el tostón.

Y así otra vez el otro, y el otro. Como eran varios, todos hicieron la misma maniobra, a ver si se le prendía la luz al loco y arrastraba el billete. Pero nada. Siempre arrastraba el tostón. Por fin terminaron su cerveza y se levantaron. Y entonces se le ocurre a uno preguntarle al loco, "Bueno, ¿no sabes que un peso vale más que un tostón?"

"Sí señor."

"Y ¿entonces por qué cuando te ponen un billete de a peso y un tostón arrastras siempre el tostón?"

"Pues señor," dijo, "si agarro el billete de a peso ya no me vuelven a poner tostones."

58

El círculo encantado (# 22)

Cuando en aquellos tiempos el famoso Houdini andaba haciendo propaganda, ofreciendo que lo encerraran en cualquier cárcel de las mejores del mundo y que él se podía escapar de ellas, y aparentemente lo hacía. Se salía de diferentes clases de cárceles. Pero dicen los de aquel tiempo que hubo una cárcel en que no pudo con los liachos, y esa fue la cárcel de la Ciudad de San Fernando, Tamaulipas.

Le aceptaron la oferta de encerrarlo a ver si se salía. Y la cárcel de San Fernando estaba construida—era nada más un corral, con un alambre ni de púas, nomás un alambre liso. Y la puerta era un cuero de vaca. Pero en el cuero tenía escrito, "¡Chingue su madre el que se vaya!"

Y no se salió Houdini. En toda la historia de San Fernando no se ha escapado nadie, ni el famoso Houdini.

59

¡Águila con el velís! (# 14)

Llega un mexicano que iba de acá de Estados Unidos a México. Y paró en San Luis Potosí. Y era un dieciséis de septiembre, como ya se está llegando la ocasión ahorita. Y todos estaban echando espiches, verdad. Y llega este cabrón que se creía medio orador.

Pues lo suben a la tribuna y llevaba su velís. Y lo pone a un lado. Y se subió a la tribuna y agarró el micrófono y empezó a hablar. "¡Hijos de Miguel Hidalgo y Costilla!" dijo. "¡Hijos de Benito Juárez! ¡Hijos de Cuauhtémoc!"

Y dio una parpareada así [quick turn of the head] y vio que ya le habían volado la maleta y dijo, "¡Hijos de su chingada madre! ¡Vuélvanme mi velís!"

60
El ladrón (# 14)

Una vez iba un pelado de aquí a México, a caballo. Y llevaba un caballo muy fino. Iba él montado en otro caballo y al fino lo llevaba estirando. Y este ... se le hizo noche antes de llegar y decidió descansar. Vio un pasto bueno allí y dijo, "Aquí paso la noche." Y puso los caballos a comer y él puso la silla de cabecera y se quedó dormido.

Y le robaron el caballo fino que llevaba. Nomás se levantó echó menos el caballo. Pues hombre de campo, naturalmente. El caballo dél allí estaba. Lo ensilló y siguió la huella y fue y pescó al ladrón. A pie iba, con el caballo estirando.

Pos llevaba pistola y lo arrestó. Le quitó el caballo y lo echó en ancas. Dijo, "Vamos amigo, lo voy a presentar con el presidente municipal para que lo meta a la cárcel." Lo llevaba amarrado, ¿eh?

Fue en la mañana, nomás amaneciendo, ¿eh? Ahi vio que venía otro pelado por allí. Dijo, "Oiga amigo," dijo, "¿dónde está por aquí el presidente municipal?"

"¡Ah qué usted!" dijo. [naive disbelief] "¡Pos ahi no lo trai en ancas!"

61
Los capitanes (# 8)

Durante la Guerra Mundial, ya sabes, se lucieron los muchachos de por aquí. A Q_____ T_____ lo hicieron capitán. Y cuando le dieron leave vino a visitar a la familia aquí en Brownsville, todo uniformado y con sus botas de paracaidista. Y se pasó a Matamoros a visitar parientes allá. Por fin se fue a la plaza a ver las muchachas. Y andaba dándole la vuelta a la plaza cuando le dice un chamaco, "¿Le boleo las botas, capitán?"

"¿Qué?"

"Que si le doy chain a sus botas, mi capitán."

"Bueno, dame shine."

Le da shine el muchacho y cuando termina le da un peso. Dice, "Oye chamaco, te voy a preguntar una cosa. ¿Cómo te diste cuenta que yo era capitán?"

"Ah, muy fácil," dice el huerco. "Aquí cualquier cabrón que trai botas es capitán."

[Voice: "Allá en México cualquier cabrón que fue al colegio es Lic-cenciado."]

62
Cuestión titular (# 24)

Un sábado en la tarde estaba con una puta en el zumbido al otro lado. Y ya sabes como son las paredes en esos lugares. Se oye todo de un cuarto a otro. Pues estaba allí cuando el pelado de enseguida se despidió de la señora. [Dialogue is given with appropriate tones and changes of voice for the two characters.]

"Bueno, ya me voy."

"Bueno, me vas a pagar los tres dólars."

"¿Tres dólares?"

"Tres dólars," dijo, "del cuarto aquí, pos estuvistes conmigo."

"Yo no te voy a pagar una chingada."

"Bueno, me vas a pagar o voy a llamar al velador."

"¿Cómo no llamas a tu chingada madre?"

"¡Veladoooooor! ¡Veladooooor! Venga y llévese a este pelado. ¡Vela-doooor! Venga y llévese a este pelado."

"Pelado no. ¡*Ingeniero*, puta jija de la chingada!" [Amid laughter of the listeners one hears several voices saying, "Puros títulos allá. Puros títulos."]

63
Arnulfo y los tejanos (# 20)

Un día estaba Arnulfo parado en la orilla de la barra (tenía cantina) platicando con otros señores. "Y ¿pos qué tal de negocio?"

"No, malísimo. Ya ves que no hay nada."

En eso llegaron como cuatro muchachos tejanos y se sentaron en una mesa. Ya pidieron sus cervezas. "Sí señor." Muy atento él. "¿En qué les puedo servir?"

"Pues, unas cervecitas, señor." Ya les sirvieron las cervezas allí y siguió platicando con los otros.

Y entonces empezó a echarles a los tejanos. "¡Estos tejanos tales por cuales!" Y que son presumidos. Y porque traen dólares. Y que pa' acá.

"Shh, cállate. Esos son tejanos."

"Los que acaba usted de—"

"Cómo así." Y se cambió así luego-luego. Dijo. "Señores, siento mucho haberlos insultado pero este maldito vino que tomo," dijo, "me hace hablar a veces de más."

Ya dijeron, "No se preocupe usted. No tenga ciudado."

Nomás dijeron eso, dio la rabiada y se metió para dentro de la cantina. Se vio en el espejo y se hizo así. [Passes hand over hair while gazing into imaginary mirror in exaggerated movie-star fashion.] Y hablando con el espejo dijo, "Arnulfo, ¿dónde está el hombre viril que yo conocí? ¡Humillándote a pelados como esos!"

64
La inundación en San Fernando (# 20)

Les estaba diciendo del presidente municipal en San Fernando, que era tan bruto que no sabía firmar su nombre. Pero no todos los de San Fernando son pendejos. Los hay muy vivos. Como la vez que iba a venir el gobernador de Tamaulipas a visitar el pueblo. El presidente municipal mandó que limpiaran las calles y que se embellecieran todas las casas en el centro del pueblo.

En un dos por tres ya tenían todas las tiendas anuncios: "Vendemos papel de china de todos colores. Y verde también." Así son de vivos y emprendedores.

También ordenó el presidente municipal que encerraran a todos los locos. Al comandante de la policía. Hay muchos. Se hizo también y ya estaba todo listo para recibir al gobernador. Cuando se asoma el comandante por la ventana y ve a un loco sentado en una banca en la plaza, dando al palacio municipal. Pescando. Tiraba el anzuelo a la acera y después le daba el tirón. Como que había pescado algo.

"¡Sargento!"

"A sus órdenes, mi comandante."

"¿Qué está haciendo ese loco allí en la plaza?"

"No sé, mi comandante. No lo habíamos visto."

"Pues, mande un par de gendarmes que se lo lleven. ¡Inmediatamente!"

"Sí señor."

Al rato se asoma otra vez el comandante y todavía estaba el loco sentado en la banca, pescando. Nada más que tiene por compañía a dos policías, uno de cada lado. Saca la cabeza el comandante y les grita, "¡Pendejos! ¿Qué están haciendo allí con ese loco? ¿No se les ordenó que se lo llevaran?"

"Sí, mi comandante." Y empezaron a remar.

Se lo llevó la China Hilaria al comandante. "¡Sargento-o-o!"

"A sus órdenes, mi comandante."

"Baje usted y tráigase a ese loco y a los dos gendarmes también. Y enciérremelos a los tres."

"No puedo, mi comandante."

"¡Cómo que no!"

"No sé nadar."

65

Los marranos de Cadereyta (# 17)

Dicen que en Cadereyta no tienen escusados. Tienen puros columpios. En todas las casas hay un corral atrás de la casa y allí tienen un columpio. Y los columpios los tienen porque tienen que hacer las necesidades en el columpio. Porque si las hacen en el suelo los marranos los capan. Y hay que columpiarse a todo dar.

Tienen muchos marranos sueltos. Hay marranos por todas las calles. Y hubo un presidente municipal una vez que decidió modernizar el pueblo. Mandó poner anuncios—hojas sueltas—por todo el pueblo. "Todo el que tenga marranos que los encierre. El que no tenga, que no encierre nada."

Supo el gobernador y le echó un telefonazo al presidente municipal, "Pero hombre, echaste malas. ¿Cómo que el que tenga marranos que los encierre y el que no tenga que no encierre nada?"

"Es que yo conozco la gente aquí," dice. "Van a encerrar los que no son de ellos."

66

Cerveceros (# 6)

A los mexicanos del otro lado les gusta mucho el whiskey, pero cuando van a los parties de los cristalinos no lo toman. Toman pura cerveza.

Porque cuando alguien les dice, "What will you have?"

Dicen, "Cock, tail."

Y se les ofenden. Por eso mejor dicen, "Una cervecita por favor."

67

Los bolillos (# 11)

It happened in Southmost College, in this class. And discussion came up how come they called the bolillos bolillos. And they asked the professor, and he didn't know, so he passed the buck and he said, "That's a good subject. Doesn't anyone want to talk about it?"

No one had a good explanation, so they kinda looked around, and one guy was from Mexico ¿ves? Close by, but he was attending classes there. He knew English, but he was kinda sleepy back there. And he heard the word bolillo, and at the same time they looked around. And so he says, "I can tell you."

"Fine, Mr. G_____, would you expound on that?"

So he got up and says, "Well, you know, professor, the reason they're called that is because, well ... They're real pests. They take over. Just give them a little chance, and they undermine you. They bore away at you until they've ruined all you got." And those things, ¿ves?

Well, and then he—the prof—tried to change the subject, and finally they changed the subject. At the end of the class everybody left, and they were getting coffee across the street, and some of the girls came over to this guy and said, "Boy, you sure put your foot in it!"

"What do you mean?"

"Well, you insulted the professor and all other Americans there."

He said, "Why? ¿Qué dije?"

"Le estabas diciendo que los bolillos eran esto y quién sabe qué."

"¿Bolillos?" dice. "Ah," dice, "yo creía que había dicho polilla."

68

The Language of Birds (# 44)

You know, when John Kennedy's visit here came to an end, López Mateos took him to the airport and said goodbye. López Mateos said, "Adiós, águila del norte."

On the way back Kennedy was telling Jackie, "Mexicans are a charming people. I like the way they talk in the language of birds."

"What do you mean, darling?"

"Well, you heard the president call me 'águila del norte.' While I was there a lot of other people called me 'ojo de pato.' "

69

Puras frutas (# 41)

Un norteamericano vino aquí a México de turista. Regresó a su país encantado. "¿Qué fue lo que te gustó más?" le preguntaron.

"Lo que más me gustó es que en México todo es fruta. Por dondequiera se encuentran infinidad de clases de frutas. Y la gente habla en la lengua de las frutas también. Pasa una muchacha bonita y alguien dice, '¡Ay, qué olor a piña madura!' A otra le dicen, '¡Qué lindo mango!' A un chaparrito amigo mío le decían cuerpo de uva, y a mí me decían hijo de la guayaba."

70

El huérfano (# 31)

Un americano que vino a México oyó un chiste que le gustó mucho, un versito que dice así:

Un chivo pegó un reparo
y en el aire se detuvo;
hay chivos que tienen madre
pero éste ni madre tuvo.

Al llegar a su tierra les platicó a sus paisanos que lo que más le había llamado la atención habían sido los chistes y pasatiempos. Dice, "Voy a contarles uno que me contaron a mí. Dice, 'Una chiva pegó un brinco y en el aire estuvo mucho, mucho tiempo.' Y resultó que era huerfanito el pobrecito."

71

El toreador (# 41)

Allá por 1908 vino aquí a México el primer torero americano de que me acuerdo yo. Un tal Harper Lee. Y le achacaban que cuando fue a brindar el toro al presidente de la plaza, que dijo, "For you, for your family, for your father and mother, mí brinda que mata este bull con cuernos de one estocada."

72
Me Too, Lupie (# 14)

Dicen que iban unos en un avión durante la Revolución y se descompuso el motor y todos tenían que brincar con paracaídas. Iban muchos mexicanos y entre ellos iba un americano que andaba allá en la Revolución Mexicana también. Pero no era creyente.

Todos se encomendaban a la Virgen de Guadalupe, pos no sabían si se iban a matar. Todos decían pos, "Me encomiendo a ti, Virgen de Guadalupe, dame vida y salud. Me encomiendo a ti, Virgen de Guadalupe." Uno tras otro. Y el americano riéndose de ellos.

Bueno, por fin le toca brincar al güero y entonces dice, "Me too, Lupie! Me too, Lupie!"

73
Abe Lincoln en Mexiquito (# 17)

Cuentan que andaban estas dos americanas evangelizando gente por allí en los barrios y se encuentran a un chamaquito allí.

"¿Pos dónde está tu mamá?"

Y dijo, "Pos si viera," dijo, "que mi mamá fue a ver qué levantaba allí en el barrio. Fue a ver si conseguía algún borrachín por allí. Pos sí," dice, "porque pos ya las putas están dormidas y a ver si levanta un punto."

"¿Y dónde está tu papá?"

"Pos mi papá está en la chirona."

"Y ¿por qué está en la chirona?"

"Porque lo agarraron con marihuana."

"Vaya, hombre. ¿No tienes un vaso de agua?"

"Sí, como no. Pásele usted."

"Y ¿cuántos años tienes?"

"Pos tengo doce años."

Entran a la casa y encuentran allí el retrato de Lincoln. Allí muy retratado, allí Lincoln estaba. Y dijo, "Mira qué raro. En una casa de una familia [gesture of deprecation] ... y con el retrato de Lincoln. Un gran pensador, un gran hombre. Evidentemente de que no han de ser estas personas muy bajas, ¿verdad? Puesto que tengan el retrato de Lincoln."

Quedaron así y de repente entra el chamaco con el agua. "Pues no," dice, "mi mamá todavía no viene."

Dijo, "Oye ¿conoces tú ese retrato que tiene ahi tu papá?"

Y dijo, "Sí," dice, "pos es que es de un americano."

Dijo, "¿Bueno, pero tú sabes quién es?"

Dijo, "No, yo no sé quién es, pero siempre mi papá me lo pone de ejemplo."

Entonces se dijeron una a la otra, "¿Ya ves? Como no son de a tiro [gesture]. Estarán—el padre estará en la cárcel. Esta mujer, la comadre, andará por ahi buscando alguna cosa pero, pos nomás no han de ser tan ... "

"¿Pero cómo te lo pone de ejemplo?" le pregunta la señora. "El señor ese ¿en qué forma te lo pone de ejemplo tu papá?"

Y dice, "Pues viera, señorita, que no le quisiera decir."

Dijo, "¿Pero por qué? Dímelo con franqueza."

Y dijo, "Pos mire usted. Mi papá dice, 'Mira, huerco jijo de un tal. No te masturbes más porque te vas a poner como ese viejo quijarudo tal por cual.' "

74

Los jinetes (# 14)

Estaba este mexicano que se llamaba Juan y lo envita un gringo a tomar una cerveza y se van a una cantina. "Trae dos cervezas aquí, una pa' mí y otra pa' Johnny."

"Chingado," dijo, "he oído que ustedes los gringos son muy vivos. Fíjate que cuando nosotros andábamos a pie ya ustedes andaban en burro."

"Otra cerveza pa' mí y otra pa' Johnny."

Dice, "No cabe duda que los gringos son muy vivos. Cuando nosotros ya andábamos en burro, ya los americanos andaban a caballo. Muy vivos los americanos."

"Otra cerveza pa' Johnny y otra pa' mí."

Dijo, "No cabe duda que los americanos son muy vivos. Cuando nosotros andábamos a caballo, ya los americanos andaban en carreta con bueyes, y cargaban. Muy vivos los americanos."

"Otra cerveza pa' Johnny y otra me la traes a mí."

Dijo, "No cabe duda que los americanos son muy vivos. Pa' cuando nosotros andábamos en carreta, ya los americanos andaban en guayín. Muy vivos los americanos."

"Otra cerveza pa' Johnny y otra a mí."

"No cabe duda," dijo, "que los americanos son muy vivos. Pa' cuando nosotros andábamos en guayín, ya ellos andaban en tren. Muy vivos los americanos."

"Otra cerveza pa' Johnny y otra pa' mí."

Dijo, "No cabe duda que los gringos son muy vivos. Pa' cuando nosotros andábamos en tren, ya los americanos traían unos Cadillacs ¡brutos! Muy vivos los americanos."

"Otra cerveza pa' Johnny y otra pa' mí."

"No cabe duda que los gringos son muy vivos," dijo. "Fíjate que pa' cuando nosotros andábamos en Cadillac, los americanos ya andaban en avión. Muy vivos los americanos."

"Otra cerveza pa' Johnny y otra pa' mí."

"Y fíjate que pa' cuando andábamos en avión, los gringos ya andaban en sus chingadas madres."

Dijo, "¡Muy borracho Juan! ¡Va pa' fuera!"

75
El trato con el diablo (# 28)

Yo creo que fue ese mismo Juan, que tenía a este gringo de amigo. Y cada vez en cuando se iban a echar unas cervecitas. Pero este Juan era muy cabrón, cada rato le estaba tomando el pelo. Hasta que un día le dijo el gringo, "Tú siempre me estás echando la viga de que ustedes los mexicanos son muy valientes. Voy a ver qué tan hombre eres. Se me ha puesto hacer algo si tú lo haces también. Al mismo tiempo."

"¡Trato!" dijo el mexicano. "Me sobran huevos pa' hacer lo que tú hagas."

"Voy a venderle l'alma al diablo."

"¡Ah chingados!" dijo el mexicano.

"¿Ya ves?" dijo el bolillo. "Yo sabía que t'ibas a rajar."

"¡Nuncamente!" dice el mexicano. "Soy macho y no me rajo. Trato es trato. Vamos a venderle l'alma al diablo."

"Pero ¿cómo le hacemos?" dice. "No sabemos cómo llamarlo."

"Yo sí sé," dijo. "Conozco una viejita media bruja que me enseñó cómo llamar al diablo. Ya falta poco pa' la medianoche. Vámonos caminando y te digo lo que hay que hacer."

"Bueno," dice el gringo. La verdad era que había dicho lo del diablo pa' tantiar al mexicano, y ahora le estaban entrando dudas. Pero pensó, "Estos mexicanos son muy pendejos, tienen toda clase de creyencias. No va a pasar nada."

Se fueron afuerita del pueblo, y el mexicano le iba diciendo lo que tenían que hacer. Pos ya entraron al monte a donde cruzaban dos veredas. Dieron las doce y empezaron a rezar el Padre Nuestro al revés y persinándose con la zurda. Después gritaron, "¡Satanás! ¡Satanás! ¡Satanás!"

Hubo como un relámpago y un trueno, y un olor a azufre, y se les presentó el diablo. "¿Me llamaban? Aquí estoy para servirles."

"¿Cuánto nos das si te vendemos l'alma?" dice el mexicano. El gringo no decía nada.

"Todo lo que ustedes quieran. Por veinticinco años les cumplo todos sus deseos. Y al terminar ese tiempo vengo por ustedes."

"Bueno," pensó el americano. "Vale la pena." Y dijo, "All right."

"Entonces es trato."

"Con una condición," dice el mexicano. "Que cuando vengas por nosotros nos tienes que cumplir una cosa más que te pídamos. Por última. Y si no puedes cumplirla quedamos safos."

"Cómo no," dice, con una risita. "Será parte del trato." Qué podían pedir que no pudiera darles el diablo.

Pos aquellos hombres, ¡a gozar! Todo lo que querían era de ellos. Oro, plata, joyas a montones. Casas elegantes, unos carros brutos. Mujeres de las más bonitas de todo el mundo. Y ellos siempre jóvenes y fuertes de no creerse. ¡Unos garañones! Juntaba uno de ellos, es decir, una docena de mujeres la misma noche y les echaba dos o tres vainas a cada una. Otro día amanecía como si nada, listo otra vez para el combate. Cada uno agarró por su rumbo y le dieron la vuelta al mundo. Se metían en toda clase de peligros y no les pasaba nada. Siempre alegres, siempre llenos de vida.

Y así se pasaron los años hasta que llegó un día en que uno estaba en París y el otro en Italia, gozando de la vida, cuando de repente sintieron que volaban por el aire y se encontraron en el monte aquel fuera del pueblo, donde cruzaban las dos veredas. Era medianoche y allí estaba el diablo esperándolos.

"Buenas noches, señores," dice. "Se cumplió el plazo. Ya gozaron bastante de la vida. ¿Están listos pa' viajar conmigo?"

"¡Calmantes montes!" dice el mexicano. "Todavía falta una parte del contrato. Tienes que cumplir una cosa más o quedamos safos."

"Ah sí, se me olvidaba. A ver tú," le dice al americano, "¿cuál es el último favor que te puedo hacer?"

El pobre estaba temblando y no podía ni hablar. Por fin dice, "Que no me lleves contigo a los infiernos."

"¡A—ah, no! Esa carta ya está jugada. No me puedes pedir eso. Pídeme cualquier otra cosa."

Pues ya no pudo decir más el pobre gringo, y de repente se abre la tierra y allá va pa' abajo al infierno.

"Ora tú," le dice al mexicano, "dime qué es lo que quieres."

"Lo tienes que hacer rápido. ¿Estás listo?"

"Claro que sí. Apúrale. ¿Crees que ustedes dos son los únicos que traigo en mi lista?"

Entonces tira un pedo el mexicano. ¡Pero pedo! ¡Bien tronado! Y le dice al diablo, "Péscame ese, métalo en una jaula y píntalo de verde."

Pos ni el diablo pudo con eso, y se fue echándole madres al mexicano. Mientras tanto el mexicano iba pa'l cielo donde lo estaba esperando San Pedro, risa y risa.

76
El pescador (# 24)

¿No han oído ustedes del mexicano que tenían en la casa de los locos, y que se había aliviado? [Voice: "¡Milagro!"] Y vinieron a visitar unos gringos. Ya saben como son los turistas, muy amables y todo. Y entraron y . . . "Mira," dijo, "ese pobre."

"Ése está un poco aliviado ya," le dijo el guía.

"Pues mire lo que está haciendo," dijo. El pelado tenía un bote de esos de hojalata y estaba pescando. Y cada rato hacía como que sacaba sardinas del bote.

"No," dijo, "pero ya está muy aliviado."

Dijo, "¿Ya está muy aliviado?"

Dijo, "Sí."
Dijo, "Pues oiga, no parece."
"No," dijo, "yo sé que está aliviado."
Y la señora se pasó así [gesture ahead] y el esposo se quedó atrás. Dijo, "Voy a ver si está aliviado o no." Dijo, "Oiga, amigo."
Volteó el loco cabrón. "¿Qué pasó?"
Dijo, "¿Cuántas ha pescado?"
Dijo, "Ya contigo van diez, jija de la chingada."

77

El contrapeso del burro (# 24)

Los burros en México son muy flacos y muy orejones y muy pelotudos. Dicen que una vez andaba un viejo con un carretón y se arrimó un gringo turista y . . . "Hombre," dijo, "este burro está muy flaco."
Dijo, "Sí, no hay mucho que darle allá en la sierra."
Dijo, "Pero mire," dijo, "pobre animal. Mire como trae la cabeza gacha."
"Sí," dijo, "las orejas están muy pesadas."
Dijo, "Pues debería de mocharle las orejas."
Dijo, "No, no puedo mocharle las orejas."
Dijo, "¿Por qué no?"
Dijo, "Porque lo sientan las bolas."
"Bueno," dijo, "¿y si le mochas las bolas?"
"Si le mocho las bolas," dijo, "y no le mocho las orejas, se va de cabeza."
"Y bueno," dice. "¿Y si le mochas las orejas y las bolas?"
Dijo, "Lo levanta el carretón."

78

Cuestión de humedad (# 24)

¿No supieron ustedes lo que le pasó al turista que anduvo allí en el barrio de San Luisito en Monterrey? Andaba viendo, visitando para allá y para acá. Y estaba un viejito haciendo un cigarro de hoja como los hacen ellos, de esos de doce pulgades ¿ves? Y aquél se paró a verlo. Lo vio que lo torció y todo y luego que le hace una lambida aquí y otra pa' acá.

Y luego lo prendió y le dice el turista [heavy accent], "Oiga, perdone. No quiero ofenderlo," dice, "pero yo soy turista," dice, "y yo quisiera saber algo de aquí," dice. "¿Con cuántas lambidas tiene usted un cigarro de esos?"

Dijo, "Pos ahi depende. Porque un baboso preguntón como usted con una sola lambida que le dé tiene."

79

Un perico bilingüe (# 42)

Éste era un americano que andaba de turista en México, y en un lugar le vendían un perico. "El perico este, ¿hablar?" dice.

"Sí señor," dice, "es un animal muy entendido. Si usted le jala la patita derecha, habla en español."

"Muy bueno," dice el gringo. "¿Y si mí jalar la patita izquierda?"

"Entonces habla en inglés."

"¿Y si mí jalar las dos patitas?"

Entonces dice el perico [deep, deep voice], "¡Pos me caigo, pendejo!"

80

El perdido (# 13)

Un americano andaba buscando ciertos lugares en la capital cuando llegó con un indito que estaba vendiendo dulces en una esquina. Y dice. "¿Usté es de aquí de la capital?"

"Sí, señor."

"Me puede decir dónde es el Zócalo."

Dice, "No señor."

Dice, "Bueno, me podría usted decir dónde es el Teatro de Bellas Artes."

"No señor."

Dice, "Dígame dónde es el Castillo de Chapultepec."

"Pues no sé, señor. No sé."

Dice, "Oh, señor. Usted ser muy bruto."
Dice, "Pos seré bruto, señor, pero no ando perdido."

81

El del costal (# 3)

Éste era un pelado ¡muy arrastrado! No le gustaba trabajar. Y había un ranchero americano por allí, y dice el pelado sinvergüenza este, "A ver qué le saco al gringo."

Y fue y le dijo, "Hombre, estoy muy necesitado y quisiera que me dieras trabajo."

"Oh, sí. Yo tener mucho trabajo para ti." Y fue y le trajo una pala y le dijo a dónde fuera.

"Pero míster," le dice, "si tengo varios días de no comer. Ya sabes que un costal vacío no se para."

"Bueno, yo te dar." Y lo sentó a la mesa y le dio de comer.

Ya que se había llenado de papas fritas y jamón y lo que tú quieras, "Ora sí, tú ir a trabajar."

"Pero míster," le dice, "¿cómo quieres que trabaje? Si estoy tan lleno que no me puedo mover. Y tú sabes que un costal lleno no se dobla."

82

Gente de mucha cabeza (# 17)

Andaba un turista en México y oyó a un joven, "¡La cabeza de Pancho Villa, la cabeza de Pancho Villa!" Y otra vez, "¡La cabeza de Pancho Villa!"

Y la compra el turista, "Pos hombre, es una gran cosa. Pues en México la han buscado y nunca la han podido encontrar y yo la voy a comprar." La compró.

Llega acá a la frontera y viene otro chamaquillo, "¡La cabeza de Pancho Villa, la cabeza de Pancho Villa! ¡Barata! ¡La vendo, la cabeza de Pancho Villa!"

Le dice el pelado chingado, el turista, "¡Que cómo la cabeza de Pancho Villa! Mira, aquí la traigo. Ya la compré."

"Ah," dice, "pero ése es cuando era viejo y ésta es de chamaco. Mire. Está más chiquita que la que trae usté."

83

El pensador mexicano (# 41)

Un americano que vino a vivir en México fue y compró un perico. Y le vendieron un tecolote en vez del perico. Dijo, "Mí querer un pájaro que hable."

"Pos éste habla, míster. Nomás que tiene que enseñarle usted."

Al tiempo de tenerlo lo visita un amigo y le pregunta, "Bueno, ¿y habla?"

"No hablar," dice. "Pero pensar mucho."

84

So Sorry (# 26)

Éste era un americano que deseaba comprar un animal en un zoológico. Aquí en México. Y vio un tigre muy bonito—un jaguar—y le gustó y le dijo al dueño, "Yo querer este jaguar."

"Bueno, pues sí. Vale tanto."

"Muy bien, yo pagar lo que sea."

"Bueno," dice, "pero ahorita no se lo puedo mandar a usted. Se lo enviaré más tarde. Esta noche, digamos."

"Bueno, muy bien." Dejó pagado el animal y regresó muy tranquilo a su casa.

Pero el dueño del animal tenía un compromiso. Había vendido el mismo animal a otra persona. Entonces, no sabiendo qué hacer, le mandó en la noche al americano una jaula con otro animal, una zorra.

Y al día siguiente el señor se levantó y lo primero que hizo fue a ver su nueva compra. Cuando lo vio le dijo, "Jaguar you?"

Dice el animal, "I'm zorra."

85

La vista engaña (# 13)

Éste era un americano que quería comprar un caballo. Y andaba buscando hasta que vio un corral donde tenían muchos caballos de venta. Y le dijo al mexicano que estaba allí, "How much for one of those horses?"

Y le dice el mexicano, "Fifty dollar, mister. Any one you want."

Pos era muy barato, aunque los caballos se veían medios malancones. Pero por ese precio ... Los estaba viendo cuando se dio cuenta que había un caballo persogado al fondo del corral. ¡Lindo el animal! No había otro en el corral que se le igualara. Le dijo al mexicano, "Fifty dollars for any horse in the lot?"

"Yes, mister."

"It's a deal. I want that one that's tied under the tree over there."

"Oh no, mister. I no sell you that horse. He no look good."

"He looks fine to me."

"I tell you, mister. He no look good."

"He looks fine, you tricky Mexican. A deal is a deal. I want that horse. Here's your fifty dollars."

"All right, mister. All right."

Bueno, pos ya le dio el dinero y lo ensilló. Se montó en él y fue y dio en contra de un poste. Estaba ciego el caballo. Y se regresa muy enojado el gringo. "You thieving Mexican! You sold me a blind horse. Give me my money back!"

"Ah, no, mister," dijo. "I told you the horse no look good. A deal's a deal."

86

Sicología (# 41)

Había un diplomático norteamericano aquí en México que se había ganado las simpatías de todos por su cortesía y su buen corazón. En ese entonces había muchos rateros empeñados en robarse los radios de los autos, que podían vender a buen precio. Si usted cerraba su coche, le rompían los cristales.

El diplomático este decidió usar una poca de sicología y también algo de buena voluntad. Dejó su coche estacionado en la calle sin echarle llave. En la volante puso un billete de cien pesos con una notita: "Señor ratero, no se exponga. Le he dejado abierto el coche para que no me rompa los cristales. Aquí le dejo estos cien pesos para usted. Por mi radio no le darían más. Tome el dinero y no se meta en líos sacándome el radio."

Volvió a encontrar una notita en el mismo lugar:

"Mil gracias por el dinero
pero el radio no lo dejo;
es usted muy generoso
o quizás es muy pendejo."

87
El burro obediente (# 24)

La otra del turista también que andaba visitando por allí y llegó al mercado, para allá pa'l barrio de San Luisito, allá donde llegan los burros cargados de jarros y carbón y todo. Y andaba uno con una burra cargada de jarros allí, y andaba otro con un burro cargado de carbón. Y que se le pone al burro tieso, chingado, y que se quiso trepar.

Y entonces le dice el turista, "Hey, hombre," dice, "¡hacer algo con ese burro!" Pos estaba el burro pegándose en el pecho con el sable. Y rebuznando.

"Oh, yes," dijo. "Orita, orita," dijo. Y ya se le arrimó a la oreja al burro. Y comenzó el burro a meter hasta que guardó todo el instrumento.

Dijo el turista, "Well, I'll be damned," dijo. "I've never seen anything like that." Ya le dice al intérprete, dice, "Ask him what he told the burro."

Ya dijo el intérprete, el guía, "Que qué le dijites al burro quieren saber aquí."

Dijo, "No, no le digo."

"No," dijo, "quiere saber."

"No, no le puedo decir."

Dijo, "Tell him I'll give him ten dollars if he'll tell me what he said to the burro."

Dijo, "¿De veras?" Dijo, "Bueno, que me los dé primero." Se los dio. Dijo, "¿Sabes lo que le dije? Métela si no quieres que te la mame el gringo."

Le había mordido la oreja al burro.

88

Burro'clock Time (# 6)

Era que un mexicano estaba dormido en la esquina de la plaza y tenía en frente un burro, con los huevos chingados colgando, ¿ves? Había traído la carga al mercado y ahora estaba durmiendo allí, a la sombra del burro. Y venía el turista este con su esposa. Los dos eran profesores en UT ¿ves? Él era antropólogo y ella era profesora de literatura. Dieron la vuelta al derredor de la plaza y dijo, le dice ella, "Look at that Mexican over there."

"Sí," le dice él, "these Mexicans do nothing but sleep. They have no sense of time."

Dice, "Let's go and ask him what time it is, and see what he says."

Bueno, pos van. Y traían un guía de turistas y le dice al guía, "Wake up that Mexican. We want to talk to him."

Estaba bien dormido el pelado, casi debajo del burro, con la cara muy cerquita de donde tenía el burro los huevos colgando. Y lo despierta aquél, "Oye, Pancho, aquí quieren hablarte unos americanos."

"¿Qué quieren?" dice. [sleepy, drunken voice]

"Quieren saber qué hora es."

"Mmmm ... bueno ... " Metió la mano a los huevos del burro. Los levantó así. [gesture, lifting something soft and heavy in palm of hand, hefting it and looking at it as if it were a test tube in a lab] "Faltan diez pa' las dos."

"What did he say?"

"Ten minutes of two."

"God damn! That's right!"

Entonces dijo aquél, "Oye, it must be a coincidence. These Mexicans, you know, they just can't feel a donkey's nuts and tell the time."

Y entonces le dieron la vuelta a la plaza y quién sabe qué, y como a la hora vienen otra vez. Dice, "Oye, Pancho, aquí están los turistas otra vez y quieren saber qué hora es."

Entonces le agarra los huevos al animal y se los levanta así [gesture repeated] ... y dice, "Son las tres."

"What'd he say?"

"Three o'clock."

"Three o'clock on the dot!" Entonces, bueno ... "How can this man do it, an ignorant Mexican? And he's half asleep at that. Tell him I'll give him five dollars if he'll tell me how he does it."

"Oye, Pancho, este americano te da cinco dólares si les dices cómo le haces tú, que nomás le agarras los huevos al burro y sabes el tiempo exacto."

[same sleepy voice] "No, no. No les digo."

"He won't tell."

"Tell him I'll buy the burro from him. I'll give him five hundred dollars." Dice, a la señora, "I'll write a paper on this. I'll be the most famous anthropologist in the United States."

Y dice ella, "We can hire an agent and tour the country with it. We'll be rich!"

"Bueno," dice el pelado. "Presta pa' acá." [gesture, pocketing the money] "Ora sí. El burro es d'ellos."

"Pero tienes que decirles cómo le haces."

"No, hombre, qué chingados. [no longer sleepy] Si no tiene chiste. Allá está la torre de la catedral con el reloj, y le levanto los huevos al burro pa' poder ver el reloj."

Era tan arrastrado el cabrón que no quería mover la cabeza.

89

No estiendo (# 30)

Eran un mexicano y un americano. Estaban de compañeros en un trabajo y el mexicano nomás era el que hacía la comida. Y ya cansado el mexicano le dijo al americano, "Ahora me vas a ayudar. Vamos a hacer tortillas de harina. Tú estiendes y yo amaso."

Y le dijo, "No estiendo," le dijo el americano.

Entonces dijo el mexicano, "Pos sí, vas a estender porque me tienes que ayudar en algo."

"No estiendo," dijo.

Entonces se enojó el mexicano y agarró un palo y lo empezó a golpear. Y entre más lo golpeaba, más recio gritaba el americano, "¡No estiendo! ¡No estiendo!"

Hasta que llegó el mayordomo y les preguntó que por qué se estaban peleando. Ya dijo que porque él no había querido estender.

"No," le dice el mayordomo. "El quiso decir 'no entiendo.' No sabe lo que le dices."

90

Mr. Quiensabe (# 28)

Ésta es una muy vieja pero todavía se cuenta. De un gringo que se fue de turista a México. Sabía español. O por lo menos creía. Había tomado Freshman Spanish in college. Y va por una calle en Mexico Cit-tee cuando ve pasar a un hombre manejando un carro pero chingón. Parecía carroza de lo largo. Y llevaba con él una mujer pero chula, parecía artista de cine.

"Oiga," le dice a uno que estaba parado allí, "¿quién ser ese hombre en ese coche?"

Y el otro dice, "Quién sabe."

"Goddamn!" dijo. "The lucky dog. That Mr. Quiensabe has it made. A car like that and a beautiful dame sitting next to him."

Se fue caminando y al rato pasó por una casa ¡pero bruta! Parecía un palacio. Pasaba uno vendiendo dulces y le pregunta, "Oiga jombre, ¿de quién ser esa linda casa?"

Y le dice el dulcero, "Quién sabe."

"This Mr. Quiensabe must be filthy rich. Just look at that house!"

Y así anduvo por toda la suidá, en restaurantes, en hoteles, en tiendas de ropa. Siempre preguntando por el dueño y todos le decían, "Quién sabe."

Salió de un mercado cuando vio un entierro, un funeral como le dicen. Muy elegante, con una hilera de carros de los mejores. Y a mero atrás media docena de pickups nuevecitos cargados de flores.

Y le pregunta a uno que estaba allí bobiando igual qu'él, "Oiga, ¿quién morir?"

Y le dice el otro, "Quién sabe."

"Poor Mr. Quiensabe," dice el gringo. "He had it all and then he died so young. Well, as the saying goes, you can't take it with you."

91
El de las botas (# 24)

Éste es de un ingeniero americano que andaba por allá en Concepción del Oro, en las minerías y en las fiestas allá. Digamos en los sábados y los domingos, pos hacen sus fiestas. Allá fue donde se encontraron el burro que hablaba, pero esto se trata del ingeniero. Que lo invitaron a una fiesta que hicieron allí el sábado en la noche.

Y naturalmente el mayordomo general allí, pos un señor mexicano, y tenía varias hijas. Y invitaron al ingeniero que viniera a la fiesta, allí al fandango. Pues el ingeniero se vino con to'y las botas, de donde andaba trabajando. Y viene y se arrima allí y entonces le dice la esposa del mayordomo mexicano, le dice, "Ingeniero ¿por qué no baila?"

Dice, "Oh, no madama. Mí no querer bailar. Mí no conocer nadie."

"Oh, no necesita usted conocer a nadie," le dice. "Mire, aquí están mis hijas. Ahi están tres, la que usted quiera. Ahi 'sta Juana y acá está Petra y acá Tiburcia."

Dice, "Oh, no madama. Mí no vinir preparada."

"¿Cómo no venir preparado?" dice. "¿Pos qué tiene?"

"Mí no querer bailar con butas." Porque andaba todo embotado.

"¡Gringo grosero!" le dice. "¡Mis hijas serán pobres pero no son putas!"

Y lo agarraron a chingazos al pobre cabrón.

92
Lázaro y los aleluyas (# 28)

Se acordarán que hubo un tiempo en que abundaban los aleluyas aquí en el pueblo, tratando de convertir a la raza. Y sí. Agarraban a algunos, especialmente en el 4–21. En un solar vacante allí ponían una carpa—más bien un toldo—con un cordón de luces. Y sillas. Y allí se juntaban a rezar y a cantar y a gritar. A algunas mujeres les daban ataques y se desmayaban. Y la palomilla se juntaba en la banqueta, fuera de la luz, a ver y a reírse.

También les predicaba el pinche gringo que la hacía de misionero. Hablaba el español un poco mocho pero se hacía entender. Cuentan que una vez estaba predicando y contando del milagro qu'hizo Jesucristo cuando resucitó a Lázaro. Y dice el gringo [thick Anglo accent], "Y eyntonces Jesucristo dijo, '¡Lázaro! ¡Leyvántate y anda!' Y Lázaro sey levantó y andó."

Y le grita uno desde la banqueta, "¡Anduvo, pendejo!"

Dice, "Tieyne razón el heyrmano. Sey leyvantó y anduvo pendejo por un rato. Pero despúes sey componió y andó bi-eyn."

[Voice: Así son los bolillos. Una vez le estaba diciendo uno a otro, "It's easy talking Spanish with these Mexicans. Just throw a verb at them and let them conjugate it."]

93
El creyente (# 17)

Eran dos pelados, un gringo y un mexicano, sentenciados por la vida. Y lograron fugarse, y éstos se perdieron. Anduvieron como tres cuatro días perdidos, buscando dónde llegar hasta que—muertos de hambre y de sed— cuando divisan una choza, una casita. Se esconden los dos a vista de la choza, y va uno de ellos nomás, el mexicano. A hacer inspección por allí. Agua para beber, comida si le podían dar.

Pos sí. Lo recibieron allá en la choza, cuando llegó allí. "Sí, aquí hay. ¿Qué religión es usted joven?"

"Soy católico."

"Pase usted." Luego-luego mataron una gallina y le dieron gallina. Y le dieron refrescos y estuvo un rato allí. Dijo, "Y ¿usted es bastante creyente, católico práctico?"

"Sí. Tan católico que una hermana de mi madre era monjita," dijo. "Nos perdimos en la tirada y por eso no ... "

"Muy bien." Le dieron comida y diez dólars pa' que se fuera. Le dieron más o menos la dirección que pudiera agarrar pa' que llegara donde iba.

Ya va y se encuentra al gringo, que estaba muerto de hambre. "Hombre, qué bien me fue. Pos les dije que era católico y me las pegué a la mera ... Me dieron de comer muy bien, bastante de todo y diez dólars más para seguir. Ora hazle tú. Nomás diles que eres católico, porque esa familia es muy creyente. Nomás deja pasar un rato, no te vayas luego-luego."

Al rato llegó aquél con la misma.

"Mira. Otro perdido."

"Son cazadores."

"Y usted," dijo, "¿es católico?"

"Sí. Soy muy católico."

Luego que le dieron de comer. "¿Usted practica bien la religión o no?"

"No ... si soy muy católico. Qué tan católico no seré," dijo, "que mi madre era monjita y el padre mío era padrecito."

¡Y que lo agarran! Casi lo matan a golpes.

94

Todo a su debido tiempo (# 28)

Andaban estos dos gringos de cacería en México. Y se perdieron. Después de mucho caminar toparon con un pueblito. Era invierno y hacía frío. Se pararon en la primera casa, que estaba afuerita de las otras. No sabían que allí vivían dos mujeres que eran las putas de ese lugar.

"Let's see if we can get some hot coffee in that house," dice.

"Okay."

Tocaron y se abrió la puerta. "Pasen caballeros."

Ya entraron y vieron que eran dos señoras, ya medio maduritas pero no tan mal parecidas.

"May we have some coffee, please?" dice.

"¿Qué dice?"

"Pos no sé," dice la otra.

"Coffee! Coffee! We pay." Y saca la cartera. "Coffee!"

"Ah," dice, "está diciendo 'coge.'" Y se levanta las naguas y le enseña un par de piernas muy regulares.

Y dice el gringo, "Oh, mama!"

"No," dice. "Primero coges y luego mamas."

95

Cortesía mexicana: El reloj (# 20)

Cuando fue Kennedy a visitar allá a México lo recibió López Mateos en el aeropuerto. Al darse la mano, mira Kennedy el reloj de López Mateos. Un reloj suizo hermosísimo con diamantes así en los lados. Y le dice, "Señor presidente, ¡qué hermoso reloj trae!"

Se lo quita López Mateos y se lo ofrece, "Es suyo, señor presidente."

"Muchas gracias," dice Kennedy y lo agarra y se lo echa al bolsillo. "Pero ¿por qué me dio su reloj?"

"Es costumbre entre nosotros. Cuando un amigo admira algo que tenemos se lo ofrecemos al amigo."

"Muy bonita costumbre," dice el otro.

Bueno, esa noche estaban en un banquete y le dice López Mateos a Kennedy, "Pero, hombre, admiro su buen gusto, gusto tan exquisito que tiene usted."

"¿Por qué dice usted eso?"

Dice, "¡Qué hermosa señora la suya!"

Dice, "Ten tu chingado reloj."

96

Cortesía mexicana: La navaja (# 5)

Un americano y su esposa iban todos los años a la tirada. Y este año el guía era un mexicano muy bueno pa' quitarle los cueros a los venados. ¡Zas! ¡zas! y ¡zas! y le estiraba ... [gestures: cutting then pulling off] y ya estaba sin cuero. Es que tenía una navaja muy buena, muy filosa. Y el americano le dijo, "Ah, ¡qué buena navaja esa!"

Y el mexicano la limpió muy bien [gestures: elaborate wiping] y se la ofreció, "Es suya."

La agarra el gringo pendejo. "Ah, ¡muchas gracias! Pero ¿por qué me la da?"

"Es costumbre entre nosotros los mexicanos que cuando alguien nos chulea alguna cosa se la ofrecemos al amigo."

Bueno, pues esa noche le dieron ganas a la señora de hacer una necesidad. ¿Pos dónde? Pos ahi en el monte, no había más. Y se retiró la madama, así pa'l monte y se bajó los calzones y se agachó. Pero había una luna muy bonita y le pegaba en aquellas nalgas tan blancas que las hacía brillar.

Y el mexicano, que estaba acá retirado con el americano, le dice, "Oiga, ¡qué chulas nalgas tiene su señora!"

Se queda pensativo el gringo. Entonces va y agarra a la mujer [gesture: carrying something under his arm], la limpió muy bien [gestures: elaborate wiping with other hand; laughter, choking] ...

Y se fue bien jodido. Dijo, "Ah, ¡qué mexicanos!"

97

¡Águila con la señora!   (# 41)

Cuando la expropiación del petróleo en tiempos de Cárdenas, se hizo mucha propaganda en Estados Unidos en contra de México. A un gringo que venía de turista para acá le dijeron, "Más vale que no vayas. Y si vas comoquiera, no lleves a tu mujer. Porque te la expropian los mexicanos."

98

Jus Primae Noctis   (# 24)

Dicen que aquí en el Valle, río arriba por ahi por Hidalgo, hay algunos gringos con grandes extensiones de terreno. Y viven como vivían los hacendados en México antes de la Revolución, con muchos mexicanos que les trabajan como si fueran peones. Los amos les dan todo: casa, comida y la chingada. Pero les llevan la rienda muy cortita, como allá en los Middle Ages. Tienen que pedirle permiso al patrón hasta pa' casarse. Pero les va bien, porque el patrón la hace de padrino y les hace todo, verdad. Fiesta, gastos de la iglesia, ropa pa' la novia y lo que tú quieras. Todo lo pone el padrino.

Y un día fue un muchachón y le dijo al gringo con que trabajaba, "Patrón, yo me quiero casar con Mojonchiana."

Sucede que ésta era una muchacha muy bonita, de unos quince años, y que el patrón le tenía puesto el ojo por algún tiempo. Dejándola que se madurara, como quien dice. Dijo, "No, pos 'sta bueno, Chilantrino," dijo. "Nomás que hay una cosa que debes saber, la regla que tenemos en el rancho. La regla aquí en el rancho es que cuando se casa un trabajador el patrón la hace de padrino, pero a él le toca el primer piquete. Es costumbre antigua de mis antepasados en Inglaterra."

Pos aquél se quería casar y dijo, "Bueno."

Pos se casaron, chingado, y que ya hubo la fiesta y la boda y todo. Ya cuando se retiraron a media noche, que ahi viene el padrino. Dijo, "Bueno, ahijado, acuérdese de lo que hablamos."

"¿Qué fue de lo que hablamos?"

"Pos que el primer piquete," dijo, "era pa'l padrino."

Dijo, "¡Ah, sí! Ya me acuerdo. Empínese y se lo doy."

99

Juan Sánchez (# 6)

Pues hombre, esto pasó aquí en el Cotton Gin. Este muchacho americano, recién casado, estaba trabajando en el turno de la noche, de las siete de la noche a las siete de la mañana. Entre puros mexicanos. Y la raza, tú sabes, la palomilla le hacía la vida pesada.

"Pero hombre, aquí estás tú matándote y tu mujer allá en tu casa gozando con Juan Sánchez." Y "¡Ay, mamacita! ¡Qué lindo tiempo se está dando Juan Sánchez con tu mujer!" Y así lo estuvieron jodiendo cada rato, noche por noche hasta que por fin reventó.

Se consiguió una pistola y una noche pidió que lo dejaran ir a la casa como a las once. Y se fue pa' la casa. Pero no era nada pendejo este gringo. Fue y tocó en la puerta de enfrente, ¡pero fuerte! Y le pegó un grito a la mujer.

Y luego-luego corrió pa' la puerta de atrás. Pues dicho y hecho. Salió un individuo a la carrera, con la falda de fuera y los zapatos en la mano. Prontito le arrima la pistola aquél y le dice, "You Juan Sánchez?"

Y dice el mexicano, "No, I'm Joe Treviño."

Dijo, "All right, goddamn it. You may go. But wait till I catch up with that Juan Sánchez!"

100

Juan Brown (# 28)

Estaban estos dos gringos tomando en una cantina. Y ya era cerca de la medianoche y estaban sintiéndose bien ... borrachos. Y le preguntó uno de ellos al otro que de qué color eran los ojos de su señora. Y el otro dijo que no sabía. Diez años tenía de casado y no sabía de qué color tenía los ojos la madama, ¿eh? Dice, "Why do you ask me that?"

"If her eyes are blue, you don't have anything to worry about. Women with blue eyes are faithful and true. But if her eyes are brown, then watch out. Brown-eyed women are hot, passionate. You can't trust them."

Siguieron tomando. Era sábado y los sábados los pelados estos no llegaban a la casa hasta el amanecer. Pero se quedó con la espina aquél y al rato dice, "I'm going home for just a minute. I'll be right back."

Pos llega a la casa y encuentra todo oscuro y muy tranquilo. Prende la luz y allí está la señora, solita. Durmiendo como un angelito. Pero sigue éste con la duda, y va y le levanta un párpado pa' ver qué color de ojos tiene.

"God damn!" dice. "Brown!"

Y sale Brown de debajo de la cama, "How in the hell did you know I was here?"

101

El Morfeo mexicano (# 6)

A este cabrón gabacho le gustaba mucho la filosofía y he liked to quote the—the classics and their sayings and all. Y era hombre de dinero, muy rico, y tenía dos tres criadas. Y tenía la costumbre de llamar a la casa una o dos veces diariamente a preguntar cómo estaba todo en la casa.

Bueno, se fue a la oficina. Y esa vez tenían una criada nueva, una muchacha negra, jovencita. Se fue al trabajo y como a las dos de la tarde llama por teléfono a la casa y contesta la negrita, "Hello?"

Dice, "I want to speak to the lady of the house. This is her husband."

Dice, "But she's in bed right now."

"Ah," dice, "she's in the arms of Morpheus."

Dice, "Well, Ah don't know his name, suh. But he's a little Meskin with a black mustache."

102

The Mexican Jew (# 22)

B_____ F_____ was a Mexican Jew. That's what he said. He was born on this side, right at the edge of the river, but later the river cut the place over into Mexico. So he always claimed he was both American and Mexican. He looked like a Mexican too. He had been with Villa and was well liked by Mexicans on both sides of the river.

During World War II Mexican unskilled labor became very scarce in Brownsville. Yard men asked as much as ten dollars a day, which is extremely high around here. So B_____ did his own yard work. One day he was working out on his front lawn in a denim jumper and straw hat. He looked like a Mexican, you know. Along come two Anglo women in a big, shiny car. They stopped when they saw this "Mexican" working on the lawn. They had no idea he owned that big house.

The lady driving was looking for a yard man. The other one was her interpreter. "Hey, hombre! Venir acá!"

He walked over to the car, took off his hat. "¿Sí señora?"

"Speak English?"

He shook his head.

"Try Spanish," said the other woman.

The interpreter pointed at the house. "Tú worky for señora here?"

He nodded.

"Tú worky for this señora?" Pointing to the woman driving. He shrugged.

"What's your price? How muchie cuánto?"

He pointed to the house and held up four fingers.

"The lady of the house gives him four dollars."

"Tell him I want him over at my house."

"You come to casa this señora?"

He put out his hand, meaning "wait." Then he pointed to the house, held up four fingers, and then made motions of putting food in his mouth.

"The lady of the house gives him four dollars and feeds him too."

The woman at the wheel thought it over and said, "Okay. I'll give him four dollars and feed him too."

"Bueno, bueno. You come to casa this señora."

He raised his hand again: "wait." He pointed to the house, held up four fingers, and made motions of taking food to his mouth. Then he made as if he was putting his arms around somebody and going to sleep.

"The lady of the house gives him—. Why, you insolent pelado!"

They never knew that the señora of the house was his wife.

103

Mucho Cooler (# 34)

This attorney in Harlingen had a secretary from up North, a Yankee. And she was trying to learn Spanish from the Mexican janitor. One hot fall day a blue norther came roaring in late in the afternoon. A short while later the secretary rushed into his private office in a fright. The janitor was trying to kiss her and had been chasing her around her desk. She didn't know what had got into him anyway, and he must talk to him or she would quit.

He was surprised because the janitor was a steady man and always polite. So he called him in and asked him, "¿Por qué andas molestando a la señorita?"

"Porque me dio puerta, patrón."

"¿Qué hizo? ¿Qué te dijo?"

"Me echó una sonrisota y me dijo, 'Mucho culo tonight!' "

104
Agua que no has de beber (# 24)

Andaba este gringo por allá en las afueras de San Fernando, estudiando la gente. Era profesor en UT, me parece, y andaba estudiando el pueblo. Se había venido un nortazo de repente y se estaba poniendo muy fresca la mañana. Pasa éste por la orilla del río y ve a una señora lavando ropa.

Como lo hacen por allá, en la orilla del río. La mojan y después la tallan en una piedra en vez de washboard. Allí estaba la señora. Agachada. Lave y lave. Y era bien mofletuda la señora, muy ancha del cabús. Allí estaba empinada, lave que te lave.

Pasa el gringo y por hacer conversación le dice, "Bueynas días, señora," dice. "Mucho cooler, ¿verdad?"

Voltea la vieja [narrator looks over his shoulder]. "Sí, cabrón," dice. "¡Pero no pa' ti, gringo pendejo jijo de tu chingada madre!"

105
Pretty Chilly (# 23)

Estaba un mexicano bien pedo allá en el zumbido. Y salió pa' fuera a mear. Y sucede que salió tambien un bolillo. Se habían ido los demás compañeros y lo dejaron solo. Y este andaba con miedo. Pero tenía muchas ganas de mear y no hubo más. Tuvo que salir solo a donde estaba el mexicano, con el chile en la mano, meando.

Era en diciembre y estaba poco frío. Y por decir algo, por hacer conversación, dice, "Hombre! Pretty chilly!"

Dice el mexicano, "¿Sí? ¡Gracias! ¡Muchas gracias!"

106

Wilson y Carranza (# 3)

Allá en el tiempo de la invasión de Pershing, en persecución de Villa, sacaron los gringos una caricatura—entre hombres—en la que Venustiano Carranza le estaba limpiando el fundillo al Presidente Wilson. Y la andaban enseñando allí en Brónsvil, riéndose de ella, hasta que se la enseñaron a un mexicano.

"Mira ¿qué piensas tú de esto? Qué mal queda tu presidente ¿no?"

"Al contrario," dice, "ustedes se equivocan. Es que Carranza es muy limpio y le está limpiando el fundillo antes de metérselo."

107

Llegando al puente (# 24)

Dicen que un mexicano vino de allá de San Luis Potosí aquí al puente y venía para acá para este lado y quería permiso de turista.

Dijo, "Tiene que pasar en primer lugar aquí a la Sanidad." Ya pasó.

Pues anduvieron inspeccionando todo y luego ya dijo el doctor, "A ver, vamos a verle aquí, a ver como tiene. No traiga alguna infección venérea." Pos ya se la arriscó el doctor. Dijo, "Ah, chingado. Usted trae purgación."

Dijo, "Yo sé."

Dijo, "Bueno, ¿pos por qué chingados viene hasta acá si está con purgación? ¿A qué viene?"

"Yo le voy a explicar. Dijeron que aquí le estaban pelando la verga a los mexicanos," dijo. "Vine a que me pelaran la mía."

108

Pichando bola (# 22)

An americano and a mexicano got together to see who was the best man, and of course the final test (that's the same I presume the world over) was the sexual powers of the individual. So they go down there and select their lady from the redlight district. And they go to bed in adjoining rooms to see who can have more sexual acts with a woman.

Pues, al rato dice el mexicano, "¡Dos palos!"

Y grita el americano, "¡Mí dobla!"

"Damn," he says, "that means four!"

So they keep on going on that. Pretty soon the Mexican says, "¡Cuatro palos!"

Y el gringo, "¡Mí dobla!"

"Damn! He's done eight!"

So they keep on for another while and pretty soon the Mexican says, "¡Ocho palos!"

And the American says, "¡Mí dobla!"

So the Mexican gives up. He says, "You win. No matter how many I make you double the number."

"No," says the American, "mí dobla the picha." His pecker had doubled up on the second try.

[Voice: "Dicen que _____ [the narrator] picha mucha bola, pero no. Es que se le hace bola la picha."]

109

El gran tatú (# 23)

Hubo un contest en el World's Fair allá en Chicago, allá quién sabe qué año fue. A ver quién traía el tatú más bonito y más grande. Y llegaron pelados de todas partes del mundo. Estaban viéndolos allí. Pelados con Washington Crossing the Delaware y otros con el Rock of Ages y La Magdalena Prendida de la Cruz. Y bueno, ¡unos tatús brutos!

Y llega el mexicano. "Y bueno ¿tú qué? ¿Qué vas a meter en el contest?"

Sacó la picha ... Un little dot, chingado. Un puntito en la punta de la verga.

Dijo, "Pero ¿qué chanza vas a tener? Mira nomás a esos cabrones ahi, hombre. Washington and the Delaware y allá Lafayette. Allá el Statue of Liberty."

"Ora verás, cabrón. Nomás que me pasen una vieja encuerada ahi por en frente."

Le pasaron la vieja encuerada. [gesture: something growing and growing and growing] "Recuerdo de la Feria de Jalisco, Guadalajara, 1910."

110
Los de Guadalajara (# 17)

Dicen que los de Guadalajara son muy machos. Que por la nada te meten el cuchillo o te dan un balazo. Pues llega este amigo de por acá de Tejas y se baja del autobús con su maleta. Y se va por la calle buscando la casa de unos parientes que venía a visitar. Con un poco de miedo, verdad, que no fuera a toparse con uno de esos valentones.

Cuando mira p'atrás y ve que lo venía siguiendo un pelado. Feo el cabrón. Tofudo, con los pelos parados y todo barbón. Le apretó al paso aquél y el pelado también empezó a andar más aprisa. Pues no hubo más, se echó a correr. Y el pelado detrás de él. Y ya cuando se vio muy cansado suelta la maleta, verdad.

"Aquí ya no, chingados. Pa' que ya no me siga ese individuo. Tiene que venir corriéndome porque quiere quitarme la maleta."

La deja caer y sigue corriendo. Y el pelado sigue, pasa la maleta y lo sigue. Hasta que aquél ya no traía aire, verdad. Se para. Y llega el cabrón aquel y, "Pos que me vienes siguiendo. Allá está la maleta."

Dijo el pelado [high "feminine" voice], "Tú la trais." Y le dio un golpecito así [limp wrist]. "A que no me pescas." Y se fue corriendo.

Así son los de Guadalajara.

111
Texas-Size (# 21)

Otros que se creen muy machos son los gringos cabrones aquí en Tejas. Reminds me of a lady that was having trouble with her car. She got out, opened the hood, a gust of wind came. Bang! The hood came down and caught her. She couldn't move, she was just hanging with her butt out in the air and yelling, "Help! Help! Help!"

A guy came by, saw the predicament she was in. She was stuck. He mounted her ¿ves? He mounted her and then took off. She started yelling again, "Help! Help! Help! I've been raped!"

A cop came by and unlocked the thing. "What happened?"

"I've been raped by a Texan."

"Well, did you get a good look at the man?"

"No, I didn't see him."

"I thought you said he was a Texan."

"I know damned well he was a Texan."

"Well, lady, if you didn't see him, how can you tell he was a Texan?"

She says, "The son-of-a-bitch had a little bitty peter and a great big belt buckle."

112
El que lo tenía todo (# 42)

Éste era un americano que era millonario. Tenía todo lo que quería. No había nada que podía desear. Y comoquiera estaba triste. Por fin le pregunta un amigo, "¿Hay algo puedas desear tú? ¿Por qué estás tan triste?"

"Pos sí," dice, "y tú que eres mexicano me puedes ayudar. Hay dos cosas que nunca he hecho. Quisiera ir a México a matar un león mexicano, porque sé que son los más feroces del mundo. Y también quiero ir a México pa' cogerme una mexicana, porque sé que son el mejor culo del mundo. Tú sabes qué malas son nuestras mujeres para eso."

"Pues hombre, es cosa muy fácil de arreglar. Yo me encargo de todo."

Y el mexicano fue y hizo todos los arreglos. Viene aquél y va y mata su león y está con una mujer mexicana y se va muy contento otra vez pa' Nueva York.

Al tiempo va a visitarlo el amigo. "¿Y cómo te fue?"

"Pues muy bien, muy bien. Nomás en una cosa me equivoqué. Me debería haber cogido al león y haber matado a la puta chingada esa. Me dio una purgación de aquel vuelo."

113

Viceversa (# 14)

Un bolillo de por aquí fue a México y regresó con almorranas y una purgación pero bruta. Y dice. "Hombre, México ser muy raro."

"¿Cómo así?" le pregunta el amigo mexicano.

Dice, "Yo nunca ver cosa así como ésta. Ser muy raro."

"Pero, ¿por qué raro?"

Dice, "Darte chile y arderte el culo. Darte culo y arderte el chile."

114

El gringo porfiado (# 41)

Éste era un cura en un pueblecito mexicano, que tenía un perico muy bonito. Y en eso llega un gringo, un turista, al pueblecito y le dice al cura, "Mí comprar ese perico."

"No está de venta el perico," dice.

Se fue el americano. Al día siguiente vuelve, "Mí comprar ese perico."

"No está de venta."

Se va y otro día regresa, "Mí comprar ese perico."

"Hombre, le digo que no lo vendo."

Y así siguió por días y días, hasta que al fin se cansó el cura. "Si no le vendo el perico a este hombre, nunca me deja en paz." Bueno, se lo vendió.

Al poco tiempo viene una muchacha a confesarse con el cura. "Padre, he cometido un gran pecado." Ya le confesó que se había dejado seducir. "Pero padre, yo sé que pequé pero también este hombre no me dejaba en paz. Estuvo insistiendo, insistiendo, hasta que ya no pude más."

"¿Es un gringo?" le pregunta el padre.

"Pos sí."
"¿Y tiene un perico?"
"Sí."
"Estás absuelta," le dice.

115

El tiempo es buen amigo (# 24)

Éste era un anglo que se le puso casarse con una joven, pero la muchacha había andado chingando por todo el pueblo. Dondequiera la revolcaban. Y fue con el viejecito padre de ella, verdad, "Oye señor, yo queriendo matrimonio para su hija."

"¿Usté quién es?"

"Pos yo soy Míster Jones. Yo queriendo matrimonio con su hija. Yo amándola mucho. Ella bonita muchacha dieciséis años y yo queriéndola mucho."

Y entonces el viejito, el papá, "Míster, no se enrede con ésa. Esta hija mía es más larga que la Cuaresma. Ésta se revuelca con cuanto cabrón fue a la escuela con ella," dice. "Y sale de noche y hay veces que no viene hasta la madrugada. Mire," dijo, "le va a pesar a usted."

Dijo, "¿Qué queriendo decir usted?"

"Sencillamente, míster, que mi hija es muy puta."

"Oh, no teniendo usted cuidado. Su hija muy bien. Orita siendo puta, pero haciéndose viejita se le quita."

116

¿Cómo se llama? (# 28)

Éste fue un mexicano que llevó a una muchacha bolilla a las vistas. Y todavía no empezaba la película y tenían puesto el telón. Y entonces el pelado, pa' tantiarla, pos no hablaba mucho español, le dice, "¿En qué se parece un telón a un condón?"

Y dice la gringa, "¿Qué ser esa cosa? ¿Telón?"

117
Astronáutica (# 35)

Después de su visita a México esta turista [names prominent American woman] va a una tienda exclusiva en Nueva York y pide unas pantaletas interplanetarias.

La muchacha llamó al guardapisos, pero éste no sabía de qué se trataba. El guardapisos llamó al gerente. Tampoco.

"Pues, señora, no sabemos qué es lo que busca usted."

Y dice, "Es que cuando estuve en México todos los mexicanos que conocí me dijeron que tenía unas nalgas del otro mundo."

118
Las posaderas (# 9)

Fueron estas americanas por allá a México a pasearse. Dos bolillas que querían aprender español y las costumbres mexicanas. Y querían quedarse en un lugar donde no les costara tanto, y donde tuvieran contacto con la gente mexicana, en una de esas casonas antiguas.

Y eran los Christmas holidays cuando llegaron. Bueno, pos llegaron allá a la casa de—de Juanita y tocaron. Y ya salió.

"Oh, Mary, how nice of you to come" y que pa' allá y pa' acá. "Come on in!" Ya era en la noche. "You came just at the right time. We're having *posadas* tonight, and we're just about ready to begin," le dice. "Your bedrooms are upstairs. Go on and get fixed up and come right down," dice, "and join the *posadas*."

Pos las dos cruzaron el patio par' ir a la escalera. Estaba muy adornado el patio, pero medio oscuro todavía, y estaban algunos pelados allí, de los primeros que habían llegado. Y donde pasan las gringas dice uno, [libidinous groan] "¡Ay, mamasota!"

Y donde iban subiendo, "What did he say?"

"I really don't know."

Dijo, "Well, you know more Spanish than I do. What's *posadas*?"

Dice l'otra, "I'm not sure. But just in case wash your ass real good."

119

Just Bread and Wine, Thanks (# 37)

A drunken *gringa* was visiting here in Tlaquepaque, and she staggered into a little Mexican church just as the priest was about to give communion. She saw the priest with the goblet in his hand and headed toward him. The priest whispered to the sexton, "Get her out!"

So the sexton goes up to her and takes her arm. "Oh, no!" she says as loud as she can. "Mí venir este lugar a comer y beber, no a bailar."

120

Put 'Em Up! (# 42)

Pos esto me pasó a mí. Una noche, ya como a medianoche, levanté una pareja de tortolitos aquí en el Gateway Bridge. Venían de Matamoros y ya los dos más calientes que otra cosa. Beso y beso y beso. Los dos gringos, jovencitos.

"Taxi?"

"Yes. How much to take us to Harlingen?"

"Twelve dollars."

"Naw! Too much. Give you eight dollars."

Bueno, estaba despacio el negocio. "Okay."

Pos ahi vamos por el highway, ya en la madrugada se puede decir. No había ni carros en el camino, nomás nosotros. Todo muy callado y oscuro. Y ellos atrás no decían ni palabra, todo muy callado.

De repente, allí por el Olmito, que voy sintiendo una cosa redonda y fría aquí en la nuca. Le corté al carro. Poco a poco me fui deteniendo y haciéndome pa'l lado del camino.

"Don't shoot."

Y nada que decían. Me salí del camino y me paré y levanté las manos y todavía no decían nada, nomás lo frío del metal en contra de la nuca.

"Don't kill me. I have a family. Take my wallet. Take my taxi."

Y nada que decían. Saqué la billetera muy despacito y la pasé para atrás, pero nadie la agarraba. Por fin voltié, muy despacito.

Era el tacón de la huerca que me estaba apuntando a la cabeza.

121

En el ruedo (# 7)

Está como el pelado este—mexicano—que estaba en el football game allí en Texas University cuando estaban jugando contra Texas A&M allí en Austin. Y estaban sentados detrás dél una pareja de A&M. Y el pelado este volteaba cada rato, miraba pa' arriba y decía, "¡Olé! ¡Olé!" Y cada rato volteaba y decía, "¡Olé!"

The score was forty-four to nothing in favor of Texas. Hasta que no se la puso como una semita al bolillo. "Hey, wait a minute! What the hell do you mean, olé?"

Voltea otra vez el mexicano. He looks up there at the girl's legs. She had her knees wide apart. Dice, "¡Olé! O le pones calzones o no la traigas al juego."

122

La torera (# 3)

Cuando empezaron ahi las gringas a hacerse toreras, que siempre han sido buenas pa' torear ... a los hombres. Había una que salía por allí en Reynosa o Piedras Negras. Muy seguido. Pero era muy pendeja y la vivía cogiendo el toro.

Y decía la gente que era el fenómeno del siglo, pues casi no pasaba domingo que no le dieran su cogida, y comoquiera seguía siendo señorita. Pero así son las gringas.

123

Huevos rancheros (# 44)

A pretty little gringa walked into a restaurant here in Mexico City and ordered breakfast. She was served eggs, scrambled with tomatoes and chile and onions, you know, and she liked them very much.

When she was through she asked what they were called, and the waiter told her, "Huevos rancheros."

Next morning she came back and told the waiter, "Déme huevos de ranchero, por favor."

124
La botella (# 18)

Iba esta americanita en el tren, sentada a la orilla de la ventana. Y en esto entra un mexicano y se sienta en seguida de ella. Prieto y medio ceñudo el mexicano, y muy callado. Y le dio miedo a la gringuita. Y el mexicano la veía de vez en cuando, pero no decía nada.

Bueno, sería del miedo o ya tendría tiempo de no hacer, pero le empezaron a dar muchas ganas a la muchacha de hacer aguas. Pero no se quería levantar porque tenía que pasarle por las rodillas al mexicano y no sabía nada de español. Nunca se le ocurrió que quizás el mexicano entendía inglés.

Pues, se aguantó y se aguantó hasta que no pudo más. Se empezó a mojar allí donde estaba sentada. Y poco a poco se fue haciendo un charquito en el asiento.

El mexicano ve un líquido amarillo y le dice, "What's that?"

"Beer," dice.

Y dice el nacional, "May I have the bottle?"

125
Hay que saber perder (# 6)

Era un patero, de esos que cruzan mojados para acá y para allá. Y éste era un americano, muy educado pero cometió un crimen y lo sentenciaron por vida. Pero se escapó de la penitenciaría. Y este patero estaba escondido a la orilla del río. Llegó el gringo este ¿ves?

Dijo, "Quiero que me pases."

"Bueno."

Estaba el río muy crecido. Y ahi va aquél en su botecito, con los remos, poco a poco. Y el americano haciéndole preguntas de la vida en general, filosofía y esto y l'otro. Si había estudiado literatura griega, latina. Y dándose el paquete el americano, todo lo que sabía, hombre. Y aquel hombre, humilde, no sabía nada.

"¿Me quieres decir que tú nunca has leído de las grandes escrituras, de los versos de los poetas griegos y latinos, los romanos? ¿Me quieres decir que tú nunca has oído de esto y l'otro?"

Nada.

"Nunca has sabido lo que es vivir. Has perdido la mejor parte de tu vida aquí en la ignorancia ¿ves?"

Y aquél pos tomando todos los insultos. Ya cuando iban a medio río que se empieza a hundir el bote. Le dice el mexicano, "Oye," le dice, "¿y tú sabes nadar?"

Dijo, "No. No sé."

"Pues aquí no has perdido la mejor parte de tu vida. Aquí vas a perderla toda."

126
El tejano y las chinches (# 28)

Ésta es de un turista de aquí de Tejas que andaba de cacería en México. Y llegó al rancho donde se hospedaba. Y allí en la mañana cuando salió con su escopeta vió pasar una liebre. Y le preguntó a la señora, "Oyes, mujer," dice, "qué ser ese animalito?"

Dice, "Ese animalito es una liebre, o un conejo."

Dijo, "No," dijo, "en Tejas los conejos del tamaño de un caballo."

Y la mujer se quedó pensando y dijo, "Mira, este hombre me está tratando de tomar el pelo." En la noche que vino de vuelta, la señora fue y agarró media docena de tortugas del monte y se las metió debajo de la sábana.

Cuando el turista se fue a acostar se asustó con las bolas que estaban allí debajo de la sobrecama. Y vino asustado a preguntarle a la señora. "Oye señora," dijo, "¿qué son esos animalitos?"

"Oh," dijo, "esas son chinches."

127

Por muy poquito (# 27)

Un americano que fue a México y empezó a recargársela de todas las cosas que había en Estados Unidos. "En Estados Unidos," dijo, "los edificios que llamamos rascacielos alcanzan hasta las estrellas."

Y el mexicano dijo, "Pues eso no puede ser."

"Pues no, pero casi. Por muy poquito. Y en Estados Unidos," dijo, "los trenes son tan rápidos que vuelan por el aire."

Dice el mexicano, "Eso no puede ser."

"Bueno, no, pero casi. Por muy poquito. Y en Estados Unidos," dijo, "hacemos ropa muy fina, unas camisas que duran toda la vida."

Y el mexicano dice, "Hombre, eso no puede ser."

"Pues no, pero casi. Por muy poquito."

Por fin dice el mexicano, "Bueno," dice, "pero nosotros aquí en México tenemos maravillas que no conocen ustedes. A que no sabías que aquí las mujeres paren por el ojete."

"Oh," dice, "eso no puede ser. No ha podido ser nunca."

"Pues no," dice el mexicano, "pero casi. Por muy poquito." [gesture: thumb and forefinger a couple of inches apart].

128

No vale la pena (# 27)

Estaban platicando dos gallinas, una gallina americana y la otra mexicana. Y la gallina americana se las estaba echando. "No," dice, "los blanquillos que ponen las gallinas americanas son así, grandísimos. [gesture: size of bowling ball]

"No," dice [humbly], "los de las gallinas mexicanas son chiquitos."

"¿Y a cuánto se venden los blanquillos en México?"

"Oh, son caros," dice, "a peso."

"Nosotros tenemos producción en masa," dice. "Allá valdrán tres centavos."

Y entonces dice la gallina mexicana, "Pues por ese precio yo ni me estropeaba el culo."

129

Una cuestión estiercolar (# 24)

Mandaron a un delegado acá a un ejido de Concepción del Oro, a un lado de Saltillo. Ustedes saben lo que es un delegado. El delegado es el que alzó el dedo allí en el rancho, el que sabe leer. Ése es el delegado. Y llegó a quererles vender allí la política del PRI a los del sindicato allí. Que había que trabajar y que hacer patria y que, en fin.

[parodies voice of speechmaker] "Y aquellos grandes seres que supieron legarnos patria y independencia, que no sacrificaron su sangre por nada, y que ustedes aquí tienen que seguir trabajando a cuatro pesos el día mientras que haya oportunidad de mejorarnos porque los setenta y cinco millones de dólars que nos prestó el gobierno americano los usamos para pavimentar la carretera de Matamoros a Victoria."

Y uno de ellos dijo, "Oiga Señor Delegado, usted es el más instrúido."

"Sí," dijo [priggish].

"Pero antes de todo," dijo, "yo quisiera que usted me dijera una cosa," dijo. "Mire, aquí tenemos caballos, tenemos vacas y tenemos borregas. Todos comen zacate y beben agua."

Dijo, "Sí señor."

Dijo, "¿Usted se ha fijado cómo es la cagada de vaca?"

Dijo, "Sí."

"¿Se ha fijado cómo es la del caballo?"

Dijo, "Sí."

"¿Y la de borrega?"

"Sí."

Dijo, "Toda es cagada, ¿verdad?"

Dijo, "Sí."

"Bueno," dijo, "¿pos por qué la cagada de la vaca es plasta, la del caballo es pajoso, la otra es una píldora?"

Dijo, "Pues hombre, eso nunca lo había pensado." Dijo, "No sé."

Dijo, "Si no sabe usted una chingada de cagada, qué chingados nos viene a decir de la política."

130
Magia mexicana (# 14)

Andaban un americano y un mexicano, andaban apostando que quién tenía los mejores edificios. Pos le ganó el americano al mexicano. Que quién tiene los mejores carros. Le ganó el americano. Que quién tiene los mejores aviones. Pos le ganó el americano. Y ya había perdido un dineral. Era muy riquísimo el mexicano, verdad.

Y dice el mexicano, "Pos hombre, mira. Tengo perdido tanto, casi un millón de pesos. Te apuesto," dijo, "el millón de pesos que tengo perdido y otro millón arriba. Aquí me emparejo o no. Yo te apuesto," dijo, "que tenemos mejor servicio de correos aquí en México que en Estados Unidos."

Pensó el americano, "Pos está pendejo este cabrón. Pos qué chingados van a tener." Dijo, "Bueno, ¿con qué me vas a probar?"

Dijo, "Mira, ¿tú me ves que estoy escribiendo esta carta a mi mamá?" Y la escribió delante de él. "La voy a echar en un sobre sin ponerle nombre ni dirección. La voy a llevar al correo y me va a decir el del correo para quién es."

Dijo, "No hombre, estás loco. Pero está hecha la apuesta." Dijo, "Aquí te chingo porque ni en Estados Unidos sabemos hacer eso. Menos ustedes aquí, mexicanos."

Dijo, "Bueno, vamos a ver."

Pusieron la apuesta, se fueron al correo.

Dijo, "Me le pones una estampilla ahi y la mandas."

Y la vio el pelado. Pos no iba rotulada a nadie, verdad.

Dijo, "Y ésta pa' quién es. ¿Pa' tu chingada madre?"

Dijo, "Qué te dije que me iba a adivinar pa' quién era la carta?"

Y ganó la apuesta el mexicano.

131
A la vanguardia (# 14)

Unos americanos andaban en México. Le dice un americano al guía de turista, orgulloso, "Oh, nosotros ser muy adelantados allá en Estados Unidos. Nosotros tener una elección por presidente, saber en treinta horas después de la elección quién ser el presidente."

"Ah qué míster este," le dice. "¡Nosotros un año antes ya sabemos quién va a ganar la elección pa' presidente!"

132
Los voladores (# 3)

Durante la Revolución, allá en los tiempos cuando estaban saliendo los primeros aeroplanos, un americano se las estaba echando con un mexicano que en Estados Unidos tenían unas máquinas hechas de alambres y trapo que las volaban.

"¡A poco!" dice el mexicano. "Ya ve qué más pesados son los trenes. Pos aquí en México cada rato los volamos."

133
El Güero Pelos (# 22)

El Güero Pelos was a celebrated character in Brownsville. He spent his summers working up north somewhere, in a canning plant, but he always came back to the Border before the first ducks arrived. He was also a very successful smuggler during Prohibition days. He could fool the border patrol without half trying.

Once he was bringing a load of whiskey and tequila over the bridge, and he found out that a stool pigeon had alerted the people at the bridge. So he called in a friend of his and put all the liquor in the friend's car, and they both came across during the rush hour. The friend's car was just ahead of his.

There was a long, long line of cars. As soon as the customs officers saw his car in the line, they waved all the other cars across, all that were ahead of him. Including the friend's car, with all the liquor. They practically took his car apart. But they didn't find anything, of course.

134

Arena pa' las matas de mamá (# 7)

Ésta se trata del contrabando de aquí pa' allá. Iba un chamaquito pa' Matamoros de acá ¿ves? Y en su bicicletita traiba un cajoncito. Con arena. Y lo pararon en la aduana. "¡Eit! ¿Qué llevas ahi en la caja?"

"Arena pa' las matas de mamá."

"Pásale."

Al día siguiente ahi va el huerco chingado en la bicicleta y la cajita de arena. "¡Eit! ¿Pa' dónde vas?"

"¿Puedo pasar?"

"¿Qué llevas ahi?"

"Arena pa' las matas de mi mamá."

"Pasa."

Al tercer día, "¿Qué llevas ahi?"

"Arena—"

"No, ya es mucha arena pa' las matas de tu mamá. Se me hace que este cabrón está pasando algo de contrabando aquí." Le esculcaron la arena.

"¿Algo?"

"No."

"Pasa."

Y le dice un guarda al otro, "A mí se me hace que este huerco chingado," dijo, "está pasando algo de contrabando."

"Es contrabando, ¿pero qué lleva? En la cajita lleva algo."

"Pos ya le esculqué la arena."

"Vas a ver. Mañana lo pescamos."

Y otro día, dicho y hecho. Ahi viene el chamaco en su bicicleta con la caja de arena. Más grande la caja, ¿ves? "Ora sí, muchacho, ¡aquí te lleva la regata!" Le quitaron la caja, ¿ves? La desbarataron toda. Y nada. Le esculcaron la arena. "¡Vete!"

"Oyes," dice, "esto ya está peligroso. Si viene este huerco mañana, yo voy a llamar al jefe del resguardo. Pa' que mire qué es lo que trae."

Pos ahi viene el huerco, nomás que era más grande la caja todavía. "Más arena pa' las matas de mi mamá."

"Oye no, aquí ya esto es mucho. Tú estás pasando contrabando y te vamos a pescar aquí todo." Lo empezaron a esculcar, lo vieron. Y nada.

Entonces el jefe del resguardo aduanal le dice, "Mira, ya es una vergüenza. Nosotros sabemos que estás pasando contrabando pero no sabemos lo que es. Y me estás pisando aquí a mí en un lado muy pesado. Mira, si me dices, no te perjudico, pero ya no lo hagas."

"¿No me hace nada, jefe?"

"No. ¿Pues qué es lo que estás pasando?"

"La bicicleta, maistro."

Se estaba robando bicicletas del lado americano y estaba pasando una bicicleta todos los días.

135

El milagro de la Virgen (# 14)

Una señora de aquí fue a visitar a la Virgen del Chorrito. Muy católica la señora. Y cuando venía de allá traía una botella de algo que parecía agua. Con un tapón de corcho. Pos de este lado la revisaron los empleados.

Dijo, "Y esta botella, ¿qué trai en ella?"

"Es agua bendita," dijo, "de la Virgen del Chorrito."

La destapó el inspector. Huele. "Oiga," dice, "esto no es agua. Es tequila lo que trai usted aquí."

"¡Oh!" dijo. [clasping hands, eyes turned upward] ¡Un milagro de la Virgen del Chorrito!"

136

¿Dónde nácio? (# 20)

¿Te platiqué de los dos mojados que venían por todo el camino? Uno se llamaba Pancho y el otro Ignacio. Y a Ignacio le dieron ganas de hacer el cuerpo y se metió al naranjal allí. Y el otro se quedó afuera, esperando.

Y en eso llegó la patrulla de inmigración y luego-luego se bajó uno de ellos. Ya sabes tú qué cerrados son esos pa'l español. En vez de decirle, "¿Dónde nació?" le dijo, "¿Dónde nácio?"

"¿Que dónde está Ignacio?"

"Sí, ¡dónde nácio!"

"Allí está adentro," dijo, "haciendo el escusado."

Dijo, "¿Trae papeles?"

Dijo, "No, pos no sé. Pero con zacate se limpia."

Así es que se los llevaron a los dos.

137

Cosas de estudiantes (# 6)

Venía gente del interior a la pizca del algodón, pensando hacer mucho dinero. Venían ingenieros, estudiantes de medicina y lo que ustedes quieran. Los veranos trabajaba yo en el Carmen Gin y allí me lo contó un troquero.

Que llegaron unos estudiantes de México que se vinieron con los braceros a aventurar, a conocer y a hacer dinero. Y una vez fue el mayordomo a ver cómo iba la pizca y vio que andaban dos pizcadores, uno agachado así [mimics man picking cotton] y el otro detrasito de él haciéndole sombra con la pizcadora. Atajándole el sol, ¿ves? Y aquel pizcando.

Pero eso no es nada. Después vio a otros. Uno de ellos estaba estudiando para médico allá en la Universidad Nacional. Y éste, el más vivo, estaba debajo de un árbol, en la sombra. Y los otros dos amigos iban y sacaban las matas de algodón enteras, con to'y raíz. Y se las traían allí donde estaba, y él pizcaba el algodón y lo echaba en la saca.

138

¡Viva Santa Anna! (# 13)

Unos braceros vinieron a Weslaco a la pizca de algodón. Entre ellos venían algunos estudiantes de la Capital. Y los mandó el patrón a que fueran a pizcar. Y uno le dice, "Espere que refresque un poco."

Al rato vuelve el americano, "¿Cuándo vas a pizcar?"

"Espere que refresque un poco."

Por fin sale el estudiante a pizcar y en un momentito está de vuelta. Dice, "Oiga, yo siempre había estado enojado con Santa Anna porque les regaló Tejas a ustedes. Pero ahora veo que tenía razón. Esto es un infierno. Yo ya me voy para mi tierra."

139
De chivos y bueyes (# 24)

Pos ésta es de un bracero que se vino acá al rancho del Chapeño. Es el Chapman Ranch pero la raza le dice El Chapeño. Y le dijo a la señora, le dijo, "Viejita, me voy a ir para juntar dinero porque dicen que allá en Tejas se junta con escoba."

Dijo, "Me voy a ir," dijo, "y quiero juntar dinero pa' comprar una yunta pa' sembrar. Tienes mucho cuidado con el chivo sancho que tenemos aquí porque quiero comprar chivas," dijo. "Y con eso vamos a hacer un criadero," dijo. "Y ya hablé con mi compadre y me va a vender un buey que tiene ahi," dijo. "Yo te voy a mandar dinero cada semana o cuando pueda."

Pos como a los dos meses de estar por acá le mandó el primer giro y consiguió uno que le escribiera la carta allí. Dice, "Aquí te mando este dinero pa' que hagas lo que te dije. No se te olvide. Y ten mucho cuidado."

Bueno, cuando recibió la correspondencia le contesta la señora, "Viejito, recibí tu carta," dice. "Tuve mucho gusto de saber de ti. De mí no tengas cuidado," dice, "que estamos durmiendo bien atrancados el sancho y yo todas las noches," dice. "Ya tengo al buey de tu compadre y estoy esperando que vengas tú pa' completar la yunta."

140
Cuestión de nombres (# 18)

Un oficial de inmigración detuvo a una señora y le dice, "¿Dónde estar sus hijos?"

Dice, "Pos señor, yo no sé. Ustedes los aprehendieron ayer."

"Pero ¿dónde estar Hey-soos?"

Dice, "Pos si yo no tengo ningún hijo que se llama así."

Y dice, "¿Cómo se llamar su hijos?"

"Pues mi Chicho, mi Chencho, mi Chon, mi Choche."

"Pero usted tener un hijo que se llama Hey-soos. ¿No tener hijos en México?"

"Sí jefecito," dice, "tenemos. Pero esos están muertos."

Dice, "¿Cómo llamar usted a esos hijos allá?"

"Pos jefecito, nosotros les llamamos difuntos."

141

At the Ball Game (# 6)

¿Te acuerdas de la del mexicano que cruzó el charco, across the bohdah, a visitar los Estados Unidos y ver cómo eran los gringos? Que había discriminación y no sé qué, y quería verlo con sus propios ojos. Además era—¿cómo le dicen?—fanático por el baseball.

Pues fue a un juego, al World Series. Y le dijeron, "Sorry, no seats."

Pero pensó, "Yo voy a ver el juego aunque me tenga que subir al flagpole." Y se subió en el flagpole y vio el juego allí. Cuando regresó a México le preguntan, "¿Y qué tal te fue con los gringos?"

Dice, "Son muy buenas gentes, sabes. Me habían dicho muchas cosas de ellos y lo creí, más cuando no me dejaron sentarme pa' ver el juego. Pero me subí al flagpole y entonces fue cuando descubrí la clase de gente que son. ¡Tan finos! ¡Tan amables!"

"Pos, ¿qué hicieron?"

"Bueno, pos ahi estaba yo arriba del flagpole. Y ya para empezar el juego se paran todos y miran pa' donde estaba yo. Y todos dicen [sung to first few notes of "The Star-Spangled Banner"], 'José, can you see?'"

142

Integrated Math (# 6)

Have you heard the good news in educational circles? We have integrated completely now, down here on the Border—the Mexican, the Negro and the Anglo. So now we are teaching the new mathematics like this: "Two plus dos equal foah."

143

El brindis del mexicano (# 14)

Un americano, un mexicano, un alemán y un japonés andaban en parranda. Y decidieron hacer un brindis cada uno. Esto hace muchos años, ¿eh?

Antes de la Primera Guerra Mundial.

Se levanta el americano y alza la copa. Y dice, "Yo brindo por la bandera de las barras y las estrellas, que flota sobre los continentes." Ya tenían ganada la guerra en contra de España.

Se levanta el alemán. "Yo brindo por las montañas de mi patria." Los Alpes. Muy hermosos.

Entonces se levanta el japonés. Dice, "Yo brindo por los jardines de mi país." Considerados como los mejores que hay en el mundo.

Y el mexicano cabrón no hallaba qué decir, así es que se metió dos tequilas dobles. Dijo, "Ora me toca a mí," dijo. "Brindo por el águila mexicana. Que vuela sobre las montañas de Alemania, se caga en los jardines del Japón y se limpia con la bandera americana."

144
El voluntario (# 21)

Do you remember about this B-29 in distress? Crossing the Atlantic during World War II with some really big VIPs aboard. Y iba volando sobre el mar cuando de repente le fallaron dos de los motores. Pues empezó a batallar para mantener el vuelo, pero no podía. Era mucho el peso que llevaba.

Empezaron a tirar todo lo que podían. Cojines, asientos, todo. They really stripped it, everything inside. Y seguía perdiendo altura. They threw out the guns and the ammo. Nada.

Por fin vino la orden. "We have the leaders of the free world aboard. This plane must make it to England. Some of you must volunteer to jump out." Pues sin paracaídas y nada. Y sobre el agua.

Pues se levanta un inglés. Da un saludo militar y dice, "God save the King!" Y brincó.

Se levantó un francés, pues no se iba a quedar atrás. He kisses the pilot on both cheeks and says, "Viva la France!" And he takes off.

Entonces sigue un ruso. Dice, "¡Viva Estalín y el marxismo!" Y se fue.

Por fin se levanta un tejano cagado. Se quita el sombrero de vaquero y pega un grito, "Remember the Alamo!"

Y agarra a un pobre mexicano y lo avienta pa' fuera.

145

El hombre prevenido (# 45)

Iban cuatro aviadores en el mismo avión durante la Guerra Mundial: un americano, un inglés, un francés y un mexicano. Habían bombardeado a los alemanes en Francia y ahora venían de vuelta sobre el English Channel. Pero venía el avión muy balaceado y a medio camino se empezó a quemar. Tenían que brincar, pero no encontraron paracaídas. Pues a brincar de todos modos. Era mejor morir de esa manera que quemarse vivo. Y les podría tocar suerte y no matarse. El mexicano, cortés como siempre, dejó a los otros que brincaran primero.

El inglés respiró hondo y gritó, "¡Por la Gran Bretaña!" Brincó y se mató.

El americano gritó, "¡Por la democracia!" Brincó y se mató.

El francés gritó, "¡Por la bella Francia!" Brincó y se mató.

El mexicano gritó, "¡Por paracaídas!" Tenía una escondida el cabrón.

146

Llegando al cielo (# 21)

Éstos se murieron y se fueron pa' San Pedro. Era un inglés, un gringo, un judío, un negro y un mexicano. Murieron juntos, verdad, y iban pa' allá pa' San Pedro. Y al llegar a la puerta los paró San Pedro ¿ves?

"Oigan," les dijo, "antes de que entren aquí," dice, "a las puertas de mi cielo, tienen que pagarme cinco dólars." [Voice: "¡Mordida!" Another voice: "¿Es mexicano San Pedro?"]

El inglés mete la mano a la bolsa y saca una onza de oro. "¡Tenga, chingado!" Se la aventó allí. Y pasó.

El gringo luego-luego sacó la cartera. "No traigo cambio," dijo, "pero le hago un cheque." Ya l'hizo un cheque. Cinco dólars. Y se pasó.

Llega el judío. [Sly look, rubbing hands.] Dijo, "Four ninety-eight?"

"Okay." Y pasó.

Y llegó el negrito, chingá. Sacó un par de dados. "Tell you what, mister. I'll shoot you double or nothing." Y echó un seven y pasó.

Entonces llegó el mexicano. "Oiga," dijo, "fíemelos y el sábado se los pago."

147

Muy disparador (# 14)

En la guerra anduvieron juntos tres pelados de Tejas: un mexicano, un americano y un judío. Y anduvieron toda la guerra juntos y les tocó estar en la misma carpa. Les tocó suerte, volvieron.

"Y cuando vuélvanos a Tejas," dijo uno, "cada quién va a pagar por un round de cerveza."

"Pos sí," dijo, "si Dios nos ayuda y no nos matan," dijo, "cuando lléguenos a Tejas cada quién paga por un round."

Pos sí, hombre, les tocó suerte. "Mira nomás, ora sí vamos a una cantina."

Entraron y dijo el judío, "Tres cervezas, por favor." Porque eran tres. Y pagó por las tres.

Le tocó al americano. Dijo, "Oye cantinero. Ponle pa' nosotros tres y tómate una tú." Y pagó por los tres y por el cantinero.

Quedaba el mexicano. Dijo, "Pones cerveza pa' todos los que están aquí en la cantina, chingado. Te sirves una tú y me preparas otras pa' llevar. Y ahi me las apuntas todas."

148

Mexicans Come High (# 23)

Este ... había un campo de cannibals y se les acabó la carne de misionero. Y fueron al campo adjoining—de enseguida—a buscar carne porque tenían hambre. Y le preguntaron al amigo que si tenía carne y le dijo que sí, que había carne de misionero.

He had good missionary meat, good fresh missionary meat. He had good Italian missionary there for 39 cents a pound, French missionary there for 49, Englishman for 69. "And that dark meat there is Mexican missionary. One dollar and ninety-eight cents a pound."

Y el caníbal chingado se sorprendió. Dijo, "Pos oy, cómo cabrones ... Isn't that a little high for Mexican missionary?"

"High?" dijo. "Have you ever tried to clean one of those sonofabitches?"

149

The Whitening Machine (# 6)

Esto pasó cuando Bobby Kennedy era Attorney General de los Estados Unidos. The big scientists in the U.S. call him up and tell him they had invented a machine that would solve the race problem. Se arrancó aquél a ver la máquina. It was a machine that made Negroes white. Bobby was pretty happy about the whole deal. They could whiten a hundred Negroes at a time, and at that rate pretty soon there would be no black skins left in the United States. The racial problem would be solved.

Trajieron cien negros y los metieron en la máquina. ¡Zas! Salieron todos güeros. "Wonderful! Wonderful!" Bobby no hallaba qué hacer de gusto.

Metieron cien negros más. The machine went into action again. Clank! Clank! Clank! And they all came out white. Bobby just rubbed his hands, he was so happy.

Trajieron cien más y entonces dice Bobby, dice, "Just a minute. What's that Mexican doing there in the bunch?"

"Oh," dice el cabrón científico, "every third time we run it, we've got to grease the machine."

150

The Mexican Greaser (# 14)

Ésta es verídica. En 1939 o 1940 trabajábamos todos allí con Pipkin-Manske [auto sales and garage]. Y en ese tiempo se requería sacar un pasaporte que le nombraban un crossing card para ir y venir a Matamoros.

Y fue D⸺ a sacar su crossing card y le preguntan su edad y su nombre. Y cuando llegan a ocupación le dicen, "¿Y en qué trabajas? What is your occupation?"

Dice, "I'm a greaser."

Y le dice el guardia, "Well, we knew that before you told us about it, but we still want to know what your job is."

He was a grease-monkey.

151
Nomás quedaron las hojas (# 15)

Durante la Segunda Guerra, pues México se hizo allí de unos barquitos que tomó de los que estaban anclados ahi en los puertos de México. Y en eso venía un barco alemán y dice el capitán, "Ahi viene un barco enemigo."

Entonces dan órdenes de hacer fuego, pues a volarlo. Y le tiran una bomba y no quedan ni tablas flotando. Y entonces allá el almirante echa el anteojo y dice, "¡Ah, echamos malas! Hundimos un barco mexicano."

"¿Pero cómo?" le preguntan los demás. "¿Cómo sabe usted que es mexicano? Si no quedaron ni tablas, contimás bandera."

Dice, "Sí. Pero quedaron las hojas."

"¿Las hojas?"

"De los tamales que estaban comiendo cuando les pegamos."

152
Mexican Coat Hanger (# 45)

This was a man who was reading a magazine, and he saw an ad. "Send for a genuine Mexican coat hanger. Only five dollars."

So he sent his five dollars, and pretty soon he got a package with the Mexican coat hanger. It was a rusty old nail.

153
El príncipe charro (# 8)

Una vez, cuando empezaron las fiestas de los Charro Days aquí, estaba F_____ vestido de charro, verdad, como todos aquí en Brownsville en esos tiempos. En una cantina. Y estaba un turista norteño, un sajón. Hablaba algo de español, verdad, y vio a F_____. Se quedó viéndolo y le dice al cantinero, le dice, "Una cerveiza para el Príncipe Charro." [thick Anglo accent]

Bueno, le trajeron la cerveza a F_____. Se quedó medio ... eh?

Y luego al ratito, "Otra cerveiza para el Príncipe Charro." Le trajeron otra.

A la tercera cerveza dice F_____, que habla como los yucatecos, dice, "Bueno," dice, le dice al cantinero, [sing-song way of speaking] "por qué me dice este señor Príncipe Charro si yo ni lo conozco."

Dice, "No señor. Es que no habla bien el español. Lo que está diciendo es 'Pinche Chaparro.' "

154

El mojado en la Gloria (# 3)

Como te habrán platicado, allá en la Gloria no admiten mexicanos. No. Fichas lisas como esas pa' qué las quieren. Nomás dejan entrar lo mejor de lo mejor. Tienen una patrulla pero buena, que no se les pasa ni un solo mojadito.

Pero cuentan que hubo un pelado que sí. Pos se le puso que iba entrar. Pos se muere y va y se presenta con San Pedro. "A ver el pasaporte. ¿Mexicano? ¡Fuera! Esa clase de gente no queremos aquí. ¡Pa' abajo!"

Pero no ... el pelado terco. Se quedó escondido por allí hasta que vio venir a un gringo, un güero grandote. "¡Pssst! Ven pa'cá." Viene el gringo, medio pendejón. "¿Cuánto me das," le dice el mexicano, "cuánto me das porque te ayude entrar al cielo?"

"Pos yo ir allá."

"Sí, pero no te dejan entrar. ¿No ves que estás muy bueno y sano? No están dejando entrar mas que a los lisiados—cojos, tuertos, jorobados. Y tú nada de eso tienes."

"¿Qué hacer yo entonces?"

"Mira, si me das ... cien dólares, te dejo que me uses de joroba."

"Yo dar."

Le dio los cien pesos y se le mete el mexicano debajo del saco, haciéndola de joroba. Y así van y se pasan los dos pa' dentro del cielo.

No. Pos en unos cuantos días llama Nuestro Señor a San Pedro y le dice, "Oye, Pedro, echaste malas."

"¿Por qué, Nuestro Señor?"

"Porque aquí anda un mexicano metido entre nosotros." Y ya les dijo a varios de los arcángeles que reportaran lo que sabían. Pos no. Ya estaba todo relajado el cielo. Jugadas por todas partes, a varios apóstoles les habían robado los relojes y por dondequiera andaban ángeles medio jalados, tocando música mexicana. Y por allí habían visto al mexicano pero se les pelaba entre el montón y no lo podían agarrar. Hasta corrían rumores que ya les andaba muy cerquita a varias angelitas.

"Pero orita lo arreglo a ese carajo," dijo Nuestro Señor. Mandó llamar un coro de ángeles con arpas y trompetas y todo. "A ver," dijo, "tóquenme un buen huapango ahi."

Y se soltaron. Nomás empiezan y . . . ¡allá! Allá abajo entre una rueda de ángeles que estaban echando un tapado: "¡Viva México, ca-a-abrones!"

Y allá te viene por el aire un sombrero de petate.

"Ahi 'stá," dice Nuestro Señor. "¡Prontito! ¡Agárrenlo!"

Pos ya lo agarraron y lo echaron fuera. Y desde entonces no se les ha pelado ni uno.

155
El submarino mexicano (# 7)

Dicen que después de World War II hubo un contest entre los aliados, a ver qué nación hacía el submarino que se quedara más tiempo debajo del agua. Y empezaron a hacer los submarinos. Había cierto tiempo pa' terminar, ¿ves? Ya cuando terminaron cada quien, bueno, se juntaron para el competition.

¡Primero Francia! Que vaya su submarino al agua. Duró un mes debajo del agua el submarino de Francia.

Ahora le toca a Inglaterra. Duró dos meses debajo del agua el submarino de Inglaterra.

Ahora Rusia. Y pos hombre, el submarino de los rusos duró tres meses debajo del agua.

Entonces se dejó ir el de los Estados Unidos. Y duró cuatro meses debajo del agua. "¡Ganamos! ¡Ganamos!" gritaban los gringos.

"¡Calmantes montes!" dicen los mexicanos. "Ora nos toca a nosotros." Y echaron el submarino mexicano al agua.

Pos no. México les ganó a toditos.

[Voice: "¿México ganó?"]

"Sí. Fíjate que ya son casi cuarenta años desde entonces y el submarino mexicano todavía está debajo del agua."

[Laughter. Then a second voice: "Es que lo hicieron de adobe." Laughter.]

156
Launch!　(# 11)

When the United States got ready to send a satellite into space, every once in a while they'd have a breakdown. They'd have a delay, and that continued for a long time, and they didn't—they couldn't figure out why there were so damn many delays and so many interruptions.

They finally found out. They had a lot of Mexican scientists working at that place, and whenever they'd say, "Launch!" they understood "Lunch!" And they took a break. That's the reason the Reds got so far ahead of us.

[Voice: "Y la raza ... ¡A la botana!"]

157
Manuel Operation　(# 9)

Este Manuel _____ es muy pendejo, una vaquita cuadrada como dice la gente. No lo quisieron en el ejército hasta que empezó la guerra porque no sabía leer. Pero resultó que no era tan bruto como creíamos porque después de la guerra lo aceptaron como astronauta.

Era secreto militar, pero andaba con el Coronel Glenn aquella vez, dándole la vuelta al mundo, allá arriba. Pero se supo que andaba un mexicano con él. Y era Manuel. Dándole vuelta y vuelta y vuelta al mundo y la chingada.

And they finally found out que llevaba Glenn a un mexicano allí, porque dijo ... Habló y les dijo a los doctores que iba a hacer una necesidad, a mover el cuerpo, allá en el espacio. Y ya cuando acabó dijo, "Okay, now I'm going to put it on Manuel."

158

El "Doscientos Uno" (# 7)

Ésta me la contaron de la guerra también. Que estaban en un combate los aliados en contra de los japoneses. Y pasó un escuadrón de los Flying Tigers por donde estaba un antiaircraft japonés. Y les tiraron: ¡Ta-ta-ta-tá! Tumbaron uno o dos.

Y pasó un escuadrón de aviones ingleses y les tiraron: ¡Ta-ta-ta-tá! Y tumbaron unos cuantos también.

Y en eso venía uno de los del 201. Chaca-chaca-chaca. Chaca-chaca-chaca.

Les pega un grito el oficial japonés, "¡No le tiren! ¡A ese avión no le tiren! ¡Es avión mexicano!"

"¿Pero por qué?"

"Porque es avión mexicano."

"¿Peligramos?"

"¡No, hombre! Nomás déjenlo y al rato se cae solo."

Le decían el 201 porque de los 200 apenas se hacía uno.

159

Medicina universal (# 24)

Cuentan de un viejito curandero, que le trajeron un enfermo que estaba mal del estómago. Y dijo, "Delen cagarruta de cabra."

Dijo, "¡Pero cómo le van a dar la cagarruta de cabra!"

"Sí," dijo. "Hervida."

Bueno, pues lo hicieron y se alivió aquel hombre. Y entonces hubo una junta de médicos y dijo, "Pos hombre," dijo, "nosotros no le hallábamos la enfermedad. Y se alivió con la cagarruta de cabra."

Y ya le hablaron al viejito curandero y dijo, "Bueno, ¿por qué le dio usted la cagarruta de cabra a este hombre?"

Dijo, "Es muy sencillo. Porque yo sabía que la enfermedad que tenía él," dijo, "se curaba con una yerba. Pero no sabía qué yerba era," dijo. "Pero como las cabras comen de todas yerbas, allí en la cagada tenía que ir la yerba que necesitaba."

160

El de la araña (# 24)

Le llevaron a don Pedrito a un pobre bracero que andaba por allí en Hidalgo y este pobre se levantó en la noche a tomar agua y se tragó una araña. Pos que malísimo y malísimo y lo llevaron al hospital de Edinburgo.

Y dijeron, "¿Quién va a pagar?"

"Pos que no hay dinero."

"Bueno, ¡pa' fuera!"

"Pos no hay más," dijeron, "pos no hay quién pague, pos tráiganlo con don Pedrito."

Y ya vino el viejito y lo vio. "Y ¿qué le pasó?" dijo.

"Pos no," dijo, "pos este muchacho se tragó una araña."

Dijo, "Y ¿qué dicen en el hospital?"

Dijo, "No. Pos en el hospital quieren dinero para hacerle una operación."

"No," dijo, "qué operación ni que nada. Orita lo arreglo. A ver voltéenmelo con las nalgas pa' arriba, con la ráiz pa' arriba."

Lo voltearon.

"Pos túmbenle los pantalones."

Le tumbaron los pantalones.

Dijo, "Pero pónganmelo acá en el patio." Lo acostaron en el patio. Dijo, "¿No tienen melaza Karo?"

"Pos que sí. Aquí hay."

Le dio una embarrada en el ojete. "Ora sí," dijo, "retírense todos." Y agarró él una varita.

Dijo, "¿Pos qué está haciendo don Juanito?"

Dijo, "Estoy esperando que se junten moscas," dijo. "Al ruido de las moscas sale la araña y la mato con esta varita."

161

El del petróleo (# 24)

Y luego el otro que se tomó el petróleo, el otro pobre que en una carpa por allí agarró un vaso. Y tenían un bola de botes de leche allí, de cristal, y allí tenían agua y petróleo. Y este pobre agarró y se metió medio litro de petróleo. Pos que se estaba ahogando, pos que al Edinburg Hospital.

Y lo llevaron allá. "Who's gonna pay?"

"Pos que no hay dinero."

"Bueno, ¡pa' fuera, cabrones!"

Pos no hay dinero, pos ¡pa' fuera! Pos que lo llevaron pa' allá y aquel hombre ahogándose. Se había metido medio litro de petróleo. Y dijo, "Traigan a don Fulanito."

Y ya vino el viejito. "¿Qué pasó?" dijo.

"Pos que se tomó medio litro de petróleo."

"Bueno, ¿pues qué dijeron en el hospital?"

"Pos en el hospital quieren dinero," dijo, "por la operación."

"No, hombre, qué operación ni que una chingada," dijo. "A ver. Sáquenmelo pa' acá. Nomás pónganmelo aquí y déjenmelo solo." Dijo, "¿No tienen un farol ahi?"

"Pos que sí."

"Pos a ver. Sáquenle la mecha al farol." Le sacaron la mecha. "¿No tienen un lápiz por ahi?"

"Pos sí. Tenga el lápiz."

"Pues quítense de aquí," dijo. "Túmbenle los pantalones." Le metió la mecha de lámpara en el ojete con el lápiz y dijo, "A ver un cerillo." Prendió la mecha. Dijo, "Ora sí. Retírense todos. Cuando se acabe la lumbre," dijo, "que se apague la mecha, es que ya se le salió el petróleo."

162

No hay mal que por bien no venga (# 27)

Allá cerca de San Francisco del Rincón había un lugar donde vivía un viejito curandero de mucha fama. Cuando lo llamaban a ver un enfermo siempre le acertaba al mal que tenía. Pues una vez lo llamaron a una casa en donde estaba un hombre muy enfermo. Con mucha calentura y sin poder hacer el cuerpo.

Lo vio. "Es empacho pasado," dijo. "Para eso el carrizo es lo mejor. Corten unas espigas del carrizo y pónganlas a serenar en un vaso de agua. Al amanecer que se tome el agua y yo vuelvo a mediodía. Para entonces ya estará bueno y sano."

Pues así lo hicieron. Otro día volvió el viejito. "¿Cómo sigue el enfermo?"

"Pos mal, don Panchito. Parece que pior."

"No se preocupen," dijo. "Lo que necesita es la raíz del carrizo. La tuestan y después la muelen. Le echan una poca de agua hasta que esté como atolito. Mañana vuelvo y les aseguro que lo voy a encontrar mejor."

Pues no. Otro día que volvió encontró que el enfermo estaba más y más malo. "Esto es cosa seria," dijo, "y hay que tomar medidas serias. Vayan prontito y corten una docena de cañutos de carrizo. Los hierven muy bien hervidos. Y le dan un vaso de agua cada tres horas. Mañana lo vengo a ver."

Otro día volvió muy de mañana. "¿Y cómo está el enfermo?" dice.

"Pos no, don Panchito. Fíjese que ya falleció."

"¡Ah, qué caray!" dice. "Pero no hay mal que por bien no venga."

"¿Cómo que no hay mal que por bien no venga?"

"Pues sí. Ahora ya sabemos que pa'l empacho pasado el carrizo no vale una chingada."

163
Enfermedad mexicana (# 24)

Éste es un caso que dicen que pasó en Mission o McAllen o por acá, aquí en Hidalgo, ¿ves? Una muchacha que comenzó a estar muy mala del estómago y la llevaron con el doctor y el doctor dijo, "Esta muchacha tiene apendicitis." Dijo, "Hay que sacarle el apéndice, no hay más. Si para mañana a las diez de la mañana no se le corta," dijo, "yo vengo por ella."

Y ya entonces dijo una señora, "Mire," dijo, "aquí está don Pedrito. Es un curandero," dijo, "y ese viejito es muy acertado."

"¿Para qué?" dijo.

"Ése nunca anda recomendando operaciones," dijo, "y es muy acertado."

Pues ya lo trajieron. Dijo, "A ver, a ver," dijo, "¿qué dice el doctor?"

"Pues el doctor dice que es el apéndice."

Dijo, "No, hombre. Estos doctores cabrones nomás saben ellos las enfermedades en inglés. Pero esta muchachita tiene una enfermedad en el mexicano. Ésta es enfermedad mexicana," dijo, "y debe de ser de tres cosas una: carne juida, sangre molida o pedo detenido."

164

La receta del doctor (# 8)

Fue Z_____ P_____ [Mexican American doctor of some prominence in town] a ver a un enfermo. Y lo examinó y dijo, "No es para tanto la enfermedad. Le voy a dar una receta. Nomás que quiero que la sigan al pie de la letra, y yo vuelvo en la mañana. Y yo les aseguro que va a sanar. Pero pongan mucho cuidado," dice, "porque quiero que lo hagan exactamente como se los voy a dar."

"Muy bien, doctor."

Dice, "Quiero que le den un baño de esponja, verdad. Pongan alcohol en la esponja y luego lo tallan bien-bien todo el cuerpo. Y antes de que se vaya a evaporar el alcohol le ponen una sábana hasta aquí al cuello. Luego le ponen una cenicita alrededor de la cama. Récenle un Padrenuestro y tres Avemarías y le ponen un huevo en la frente," dice. "Y yo vuelvo aquí como a las seis siete de la mañana y les aseguro que para entonces está perfectamente bien."

Pues así lo hicieron. Otro día en la mañana vino el doctor. No, pues ya estaba muerto el pobre hombre. "Pero ¿cómo sigue el enfermo?" dice.

"Pos si ya ... ya murió."

"Pero ¡cómo murió! Si no era para ... no era de muerte la enfermedad. Es que no han de haber llevado a cabo la receta como yo se las dije."

"No ... Sí, señor doctor."

"Bueno, ¿le dieron el baño de esponja con alcohol?"

"Sí, cómo no. Tan pronto como se fue usted. Y le pusimos la sábana para que no se fuera a ir el efecto."

"¿Y la ceniza?"

"Pues vea usted. Ahi está. Vea usted, en la cama, todavía se ve la ceniza allí."

"¿Y el huevo en la frente?" dice.

"Bueno, pos allí—ve doctor—es donde tuvimos una poca de dificultad. Tuvimos que llamar a tres de los vecinos," dice. "Y entre los cuatro tratamos de hacerlo," dice, "pero nomás se lo pudimos estirar hasta el ombligo."

165

De vacas a viejos (# 24)

Andaba un veterinario allá con la fiebre aftosa, un bolillo de aquí. Y entonces el viejito este estaba muy malo, tenía una indigestión o no sé qué. Y ya fueron. "Aquí está un doctor del otro lado, ¡Qué mejor quieres!" Pos ya fueron con él.

Dijo, "¡Oh no! Mí ser doctor por la vaca. Poro no por el hombre. No gotta permit."

Dijo, "No li' hace doctor. ¿Qué le da usted a las vacas cuando están malas del estómago?"

"Pues hombre," dice, "mí dar un poco de sal d'higuera."

Dijo, "¿Cuánta sal de higuera le da usted a la vaca?"

Dice, "Oh, por una vaca grande mí darle una libra de sal en un galón de agua."

Y entonces dijeron aquellos, "Pos acá le medimos nosotros."

Se fueron a la casa y midieron medio galón de agua y media libra de sal de higuera. Se lo metieron al viejito.

Pos otro día en la mañana vinieron. Dijo, "Oh, doctor, veníamos a verlo a usted."

"¿Cómo seguir el enfermo? ¿Se alivió?"

"Oh no, ya se murió."

Dijo, "Pero cómo murió."

"Sí. Lo vinemos a convidar a usted que vaya al funeral, ora en la tarde. Pero no se sienta usted culpable, doctor," dijo. "No es culpa suya."

Dijo, "¿Por qué usted decir no culpa mía?"

Dice, "Nosotros le dimos la purga y la purga hizo su deber. Él se murió de otra cosa porque la purga todavía después de muerto le ha hecho tres veces."

166

Último pensamiento (# 28)

No ... Pues ésta era una vieja de esas gringas muy ricas. De ésas que les gusta comprar cuadros. Pinturas, ¿sabes? Pues oyó que por allá en Europa había un gran pintor, Picasso o quién sabe quién, que había pintado un cuadro muy famoso. "Custer's Last Thoughts." Representando los últimos pensamientos de Custer al momento que se lo bailaban los indios, chingado. [Voice: "Por pendejo." Laughter.]

Pos mandó por él, por el cuadro. Historia de Estados Unidos y todo. Dos trescientos mil pesos le costó. [Another voice: "¿Nacionales?"] No. Dólares. Pos llegó el cuadro, chin ... Y hizo la vieja un party y invitó a toda la gran sociedad. A ver la pintura del famoso pintor. Lo tenían acortinado, ni la vieja misma lo había visto.

Bueno, llegó la hora y se junta todo el gentío, y le quitan la cortina y por poco se desmaya la vieja. Era una vaca con un "halo" y más abajo un ojo grandote con pestañas y todo, pero bien abierto. Y todo al derredor, como marco, ¿ves? Muchos indios cogiéndose a las indias. Y nomás. La vaca con el "halo," el ojo y los indios cogiendo.

Pos se enojó la vieja y mandó llamar al que le había comprado aquello. Pos no. No sabía, así lo había pintado el pintor famoso. Y ni modo de preguntarle porque ya había pasado a mejor vida. Pos a preguntar y a preguntar, pero nadie sabía lo que significaba el cuadro. Los mejores críticos del mundo. ¡Nada! Bueno, fueron con los científicos, con los filósofos de todo el mundo. Y nadie sabía cómo interpretar aquel cuadro.

Ya desesperados, cuando en eso llega un mexicano. Todo mugroso, borrachales el cabrón. "Yo les digo. ¿Cuánto me dan?"

"¿Cuánto quieres?"

"Pos que tres mil dólares."

"Okay."

"Why, it's easy," dijo. "See the cow with the halo, the big eye and the Indians? That's what Custer was thinking: 'Holy Cow! Look at them fuckin Indians!'"

167
El egiptólogo (# 7)

Y también cuentan de este otro mexicano, que andaba allá en Egypt. Trabajando a la pica y pala con unos exploradores. Pos encontraron un "mural" en la tumba de un emperador. Y nadie le daba con lo que quería decir, ni los mejores científicos.

Hasta que viene el mexicano este. "Yo les digo."

"Pues si sabes eres mejor que todos nosotros."

"Natural. Si para esto nosotros los mexicanos somos los mejores en el mundo. A ver."

Y le enseñaron. Era un ojo grandote, y una liebre arriba de un gato.

"Very simple," dice. "It says, 'Just look at the hair on that pussy.' "

168

Los trece apóstoles (# 6)

Hablando de pintores, se acordarán de lo que le pasó a esa señora americana. Muy rica la vieja. Y muy devota. [Voice: ¿De botas?] No. De esas que tú conocías ya no hay por aquí. Era muy religiosa. Y se le puso mandar a hacer un cuadro de la Última Cena de Jesucristo para regalárselo a su iglesia. Pues a buscar un pintor. Y le recomendaron a E———— G————. Muy borrachales el cabrón, pero buen pintor. Pa' qué se le quita. En varios restaurantes del pueblo ya había pintado cuadros muy bonitos. En las paredes. Ustedes los han visto.

Pos lo llamó la vieja. "¿Por cuánto pintarme un cuadro de la Última Cena? En lona, grande grande."

Se rascó la cabeza aquél. [Drunken voice.] "Pos ... Dígamos ... Cien dólares y los materiales."

"Muy bien. Yo dar cien dólares y los materiales."

Se puso a pintar aquél y en un par de semanas le trajo el cuadro. Precioso. Allí estaba Jesucristo cenando, rodeado de todos los apóstoles. En colores muy brillantes y todo muy bonito. Quedó encantada la vieja. Recibió sus cien dólares y ya se iba, cuando la vieja le dice, "¡Oye pintor! Tú venir acá."

Se regresó y le dice la vieja, muy enojada, "Esto estar muy mal. Ser solamente doce apóstoles ¡y tú pintar trece!"

Dice, "No se sulfure, madama. Orita se lo arreglo." Y agarró un pincel y le escribe arriba de uno de ellos:

"Yo no soy apóstol ni soy nada,
nomás vine a cenar y me voy a la chingada."

169

A perder o ganar (# 8)

Después de la Segunda Guerra Mundial se pusieron las cosas muy difíciles en México. Especialmente después de que salió Miguel Alemán. Le gustaban mucho los claveles a don Miguel, y se clavó bastantes. Bueno, pues se juntaron todos los jefes mexicanos a discutir qué medios había para remediar la situación. So one guy came up with a suggestion that sounded pretty good. "Let's declare war on the United States."

Hombre, les gustó la idea. "Nos derrotan en un dos por tres y después fíjense lo que han hecho con el Japón, con Italia y Alemania. Empiezan con darnos bastante de comer. Y después nos hacen fábricas, fundiciones, comercio. El turista mexicano se conocerá por toda Europa."

Todos estaban muy contentos con la idea. Menos el jefe de estado mayor. Se quedó muy pensativo. Por fin dice, "Bueno, ¿y con que si ganamos?"

Cómo le iban a dar de comer a tanto cabrón gringo. Y puro jamón y pan blanco.

170

Los tres gustos del mexicano (# 6)

Sucede que andaban estos mexicanos en Nueva York, celebrando en uno de los famosos nightclubs, un cabaret, ¿ves? Y cada rato pasaba la cigarette girl: "Candy, chewing gum, cigarettes. Candy, chewing gum, cigarettes." A todos los anglos en el nightclub.

Pero cada vez que pasaba por la mesa en donde estaban los mexicanos decía, "Rubbers, boxing gloves, bird seed. Rubbers, boxing gloves, bird seed."

Hasta que se la puso de este pelo a uno de ellos. [gesture, something about the size of a grapefruit] Se levantó y dijo, "Voy a ver qué quiere decir esa puta pendeja." Y va y le dice, "Listen. Why do you keep saying 'rubbers, boxing gloves, bird seed' when you walk by our table?"

Y le dice la vieja cabrona, "Because when you Mexicans get drunk all you want to do is fuck, fight, and sing."

Pues es verdad. Son los tres gustos de los mexicanos.

171
Juan Huarache (# 22)

Have you heard about the fellow whose name was Juan Guerra Hinojosa? Y le decían El Huarache. He tried and tried to figure out how he could keep the pelusa from calling him El Huarache. He had read in the papers about so-and-so going to court and changing his name, so he decided he'd become an American and change his name. Then people wouldn't be calling him El Huarache anymore.

So he went down there to change his name. "Vamos a ver," dijo, "vamos a cambiarme el nombre. Juan. Pos es John. Guerra. Pos es War. John War. Y con Hinojosa, ¿pos cómo le hacemos?" No encontró palabra en inglés. "Pos ponle ahi la 'H' [hache] nomás. A ver cómo sale ... John War Hache. ¡Ah, chingados!"

En inglés o en español, como quiera salió huarache.

172
The Passionate Spaniard (# 21)

Este mexicanito, he went up to New York from Texas, you know. And he made a big hit with everybody, especially the girls. No era mal parecido, bailaba bien y tocaba la guitarra. Oh, he was having a ball! The girls just couldn't get enough of him, he became a regular Don Juan. But the men liked him too, and everybody called him the Passionate Spaniard. And the Passionate Spaniard, and the Passionate Spaniard. That's all they ever called him.

Por fin tuvo que volver a su terreno, y todos fueron a la estación a despedirlo. Antes de que saliera el tren les dio las gracias a todos por el buen tiempo que había tenido. Y después dijo, "The nicest thing I liked about you people was that you kept calling me the Passionate Spaniard. Down in Texas where I come from, all they ever call me is a Fuckin Mexican."

173

Los mexicanos en UT (# 7)

La raza ya está poniéndose muy educada. No es como antes. Como estos dos muchachos de por aquí del Valle. Pos salieron muy buenos estudiantes, honor students y lo que tú quieras. De diferentes escuelas pero a los dos les dieron scholarships para que fueran a UT a estudiar. Y uno fue de English Major y el otro en Speech.

Pos se encontraron en el campus, acabados de llegar, y le pregunta el Speech Major al otro, "Spish Building, where ees?"

Y el English Major le apunta pa' allá y dice, "There iss."

174

Diploma García (# 24)

Ya saben que el año pasado anduvieron los census takers por aquí, levantando el censo escolar, ves. Y resulta que llegaron a una casa en donde había un muchacho, un chamaco. Levantaron todo el censo allí. Dijo, "¿Y este muchacho, cómo se llama?"

Dijo, "Pos, éste se llama Diploma. Diploma García."

Dijo, "¡Pero cómo cabrones se va a llamar Diploma García!" dijo. "Pos nunca habíamos oído tal nombre. Ése no es nombre."

"Así se llama. Diploma García."

Entonces ya dijeron, "Bueno, ¿por qué? ¿Pos de dónde sacaron ustedes ese nombre?"

"Pos sabe," dijo, "la cuestión es ésta," dijo. "Nosotros mandamos nuestra hija al Texas University," dijo, "a que sacara un diploma. Y esto fue lo que trajo."

175

Los dos turistas (# 14)

Andaban estos dos turistas en San Antonio. Solos, pero se encontraron por allí frente del Alamo. Y le dice uno al otro, "Say, jombre, ustey no saber dónde está por aquí el Buckhorn?" [exaggerated Anglo accent throughout]
Dice, "Oh, mí no saber. Mí ser turisty."
"Oh, you ser turisty también, jombre?"
"Yes, mí ser turisty too."
"Dónde vivir ustey, jombre?"
"Oh, mí ser de Cadereyta."
"Ustey from Cadereyta? Well, mí vivir en Monterrey."
[in good Spanish] "Pos en ese caso, ¿pa' qué estamos hablando en inglés?"

176

La rancherita agringada (# 3)

Pos no, eso está como la rancherita esta—de aquí de la Sección 25—que anduvo una temporada por allá en Tejas, en las pizcas con la familia. Y cuando volvió al rancho venía muy agringada. Estaba de visita en ca' de unas amigas y le dieron ganas de ir a las casitas. Pues ya fueron todas juntas. Escusado de pozo, natural. No hay de otros en el rancho.

Y había un mesquite muy grande junto al escusado, y una de las ramas se había metido pa' dentro por una rendija. Y ya que acabó—estaban todas allí platicando—se agarra la pochita de la rama de mesquite. Y jale, que te jale, que te jale.

Hasta que le preguntó una de las amigas, "¿Pos qué estás haciendo?"
"Ay," dice, "creía que era la cadena."

177
Bien servido (# 38)

Vino el tejanito este a México y entró a un restaurant. Bien apochado el muchacho. "Oralé, joni," le dice a la mesera, "dame un cafecito y un par de llantas, please."

La mesera no sabía lo que quería y le pregunta a otra, la muchacha que estaba en la caja. "¿Qué dice?"

"Quiere donas."

Pos ya le trae el café y las donas. Y a un ladito le pone un plato de frijoles.

"¿Y esto pa' qué, joni?"

"Es el aire pa' las llantas."

Pa' que no se le fuera a olvidar quién era.

178
Moneda del país (# 13)

Éstos eran unos braceros. Del otro lado. Que andaban por aquí en el estado de Tejas, aquí en San Benito. Y les tocó venir a la iglesia a dos de ellos, compadre y comadre. Y empezaron a rezar, bien alto, que se oía.

Y la comadre decía, "¡Ay, Virgencita de Guadalupe! Virgencita chula, socórreme. Mira que si me cumples lo que te pido, te traigo un par de velas muy bonitas. ¡Ayúdame, Virgencita de Guadalupe! ¡Ayúdame!"

Y el compadre estaba también rezando, "Help me, Lupie!" decía. "Come on, Lupie! Help me! Help me, Lupie!"

Hasta que no aguanta más la comadre y se voltea y le dice, "¿Pos qué es esto, compadre? ¿Que se ha agringado tanto usted aquí en Estados Unidos? ¿Ya no sabe hablar en español?"

"¡Calle comadre!" dice. "Es que le estoy pidiendo *dólares*."

179

San Antonio chamaco   (# 12)

Otro bracero que anduvo mucho tiempo por acá se había agringado al punto que hablaba más inglés que español. Pero todavía era muy católico y también muy borracho. Cada vez que se emborrachaba iba a la iglesia a pedirle a San Antonio que le diera dinero para curarse la cruda. Y nada que le daba el santo.

Y una vez fue muy crudo y le dijo al santo, "Looky here. Si no me das un poco de monis pa' mañana, I'll come and beat the hell out of you."

Y el sacristán lo estaba oyendo, y fue y le dijo al cura, "Fíjese, padre, que un borracho le dijo a San Antonio que si no le daba lo que pedía, que mañana venía y lo golpeaba."

La estatua estaba nuevecita, les había costado mucho. Pues la quitaron y pusieron una estatua chiquita que había estado allí antes.

Otro día entró el borracho y se quedó viendo. Por fin dice, "Oye, chamaco. Where's your daddy?"

180

Fiestas padres   (# 21)

Está como la mamá de la muchacha mexicana que se había casado con un gringo. Y estaban preparándose pa'l Dieciséis, ¿ves? Y pues ellas querían hablar inglés para que entendiera, pues el gringuito gabacho estaba allí con la hija.

Y empezó a lloviznar. Siempre sucede. Y "¡Ay hijas!" dice la vieja, la madre. "¡Ay hijas! If it chirrispitín you no go to the Sickisteen! If it chirrispitín you no go to the Sickisteen!"

181
Manteniendo La Constitución (# 24)

Y este otro, que había vivido muchos años en Estados Unidos y por fin decidió hacerse americano. Fue a recibirse de ciudadano y le dice el inspector, "Do you promise to support the Constitution?"
"¿Qué dice?"
Y le dice el intérprete, "Pos que si te comprometes a mantener a la Constitución."
"¡Ah no, qué chingados!" dice. "Que se busque otro. ¡Si yo ya tengo diez de familia!"

182
El señor Madero y La Constitución (# 8)

Pues dicen que esto sí pasó. Cuando Madero derrocó a Porfirio Díaz entró a la capital de México en triunfo. Hubo un gran desfile, un parade, por el Paseo de la Reforma. Iban Francisco Madero y su esposa en un carruaje abierto, saludando al pueblo. Por dondequiera que pasaban se amontonaba la gente, gritando, "¡Viva el señor Madero! ¡Viva la Constitución!"
Entre el gentío estaban dos pelados, nomás viendo. Por fin le dice uno al compañero, "Oye," dice, "yo sé quién es el Señor Madero. Es el chaparrito ese que va en el coche. Pero ¿dónde está La Constitución?"
"¡Cómo serás pendejo!" le dice el otro. "¡Es la señora que va sentada allí con él!"

183
La Flora y La Fauna (# 23)

Allá en Cerralvo también tuvieron una vez un burro que hablaba. El presidente municipal. Una vez recibió una carta de la Capital, "En vista de un survey nacional, sírvase usted comunicarnos toda la información que tenga usted acerca de la flora y la fauna en su municipio."

Puso a todos los empleados municipales a trabajar en el asunto. Y por fin les contestó, "Pos La Flora aquí anda puteando. Pero La Fauna ningún cabrón la conoce por aquí. Quizás la encuentren en algún congal en Monterrey."

184
La güera latina (# 8)

Se acordarán de la esposa del Presidente Kennedy, que hablaba muy buen español. Pure Castilian, boy. Platican que cuando vino a visitar aquí en Tejas, en San Antonio, antes de que fuera Kennedy allá en la gira a México. Que, pues natural, cuando vino a San Antonio la esposa del presidente, pues querían darle un parade de aquel vuelo.

Y dijo ella, "Pues gracias, se los agradezco mucho. Pero quisiera que mejor me llevaran por un barrio de la gente pobre."

Pues ya quisieran o no quisieran, tuvieron que hacerlo porque era como una orden de ella. De manera que la llevaron por allá por el West Side, allí en San Antonio, donde hay mucha gente mexicana. Pero por las partes mejores del West Side. Y había mucha gente de ambos lados de la calle, y venía ella en su coche, con su chofer. Detrás de ella venían otros con todos los oficiales de San Antonio.

Pero poco a poco se fueron pasando a un barrio que era puras cantinitas, todas con sus jukeboxes tocando polcas a todo dar. Y le dice al chofer que detenga un poco el coche, que quiere platicar con algunas de esas gentes. Pues se para el chofer en una esquina y estaba una vieja allí, de esas con el pelo oxigenado. La ve. Güera.

Y le dice la Jackie en su castellano perfecto [heavy accent], "Perdone. ¿Es usteyd latina?"

Y dice la vieja, dice, "No señora, yo soy La Lupe. La Tina está allá adentro, cuidando la barra y las muchachas."

185
El total (# 24)

Cuentan de este jefe revolucionario que nació en Concepción del Oro o por allí. Era medio rancherón pero muy valiente. Al empezar la Revolución se unió a las fuerzas de Francisco Villa y se lució en muchas batallas que ganaron los villistas. Pero ya como en 1915 cambió de opinión y se hizo carrancista. O como dicen, chaquetió. Pues, le fue bien y al terminar la refulufia ya era general.

Pos llegó la noticia del jefe del estado mayor que de ahi en delante se les iban a pagar sueldos fijos a la tropa. Ya nada de tostón por día y las manos libres. Sueldos fijos para la tropa y también pa' los oficiales. Pos ya vino el ayudante con la lista de los sueldos para toda la brigada.

El general, tanto. Los coroneles, tanto. Los mayores y los capitanes, tanto y tanto. Y así hasta los soldados rasos. Por fin, total, tanto.

Se queda viendo la lista el viejo, chingado. No sabía leer muy bien pero sí era bueno para los números.

"¡Oiga capitán!" le dice al ayudante. "¿Quién es este cabrón Total que gana más que yo?"

186
Cuando se perdió Washington (# 24)

Este mexicano venía a recibirse de ciudadano. Y vino su compadre con él. Y ya ven que primero les hacen preguntas a ver si saben algo del gobierno. Y el compadre con él. Dijo, "Yo, compadre, quiero ir nomás como observador porque yo también quisiera hacerme ciudadano pero no les tengo confianza a estos gringos. Quiero ir a ver de qué se trata el asunto."

Pos ya entraron allí y le dice el inspector. Al que quería hacerse ciudadano. Dijo, "Bueno, ¿usted sabe algo del gobierno?"

"Sí," dijo.

"¿Dónde está el presidente de los Estados Unidos?"

Dijo, "En Washington." Y el compadre oyendo.

"Bueno," dijo, "¿me puede decir usted dónde está Washington?"

Dijo, "Oiga, no."

"¡Me va a decir que no sabe dónde está Washington!"

"Pos no."

"Pues no puedo darle la ciudadanía."

Se salieron, aquél muy triste. Y dice el otro, "¿Ya ve compadre? Creen que usted se lo robó."

187

Los calzoncillos clave (# 6)

Y estos otros dos compadres que fueron a ver si se podían hacer ciudadanos americanos. Y dice uno, "Ah, compadre. Se me hace que yo no paso. Dicen que las preguntas son muy duras."

"No se preocupe, compadre. Tengo un amigo aquí en la Migra y me dijo las respuestas. Las apunté en la banda de los calzoncillos. Lo sientan a uno frente al escritorio en donde está el que lo examina. No lo puede ver mas que del pecho pa' arriba. Y cada vez que me pregunte algo nomás hago así. [Folds down waistband of shorts and trousers.] Y allí tengo la respuesta."

"No cabe duda que es usted muy vivo, compadre. Pero ¿cómo le voy a hacer yo?"

"Voy yo primero y usted se espera. Cuando salga nos metemos en el restroom y cambiamos calzoncillos. Y entonces entra usted."

Y así lo hicieron. Entró primero el compadre vivo y al rato salió muy contento. "Pasé el examen, compadre."

Prontito se metieron al restroom y hicieron el cambalache. Pero el otro, en las prisas se puso los calzoncillos al revés, con lo de atrás pa' delante. Ya entró y se sentó en frente del pelado de la Migra.

"Vamos a ver," dijo. "¿Cuándo fue la Guerra de Independencia de Estados Unidos en contra de Inglaterra?"

[Gesture, folding down and quick glance downward.] "Del cuarenta y cinco al cuarenta y ocho."

"¿Y cómo se llama el presidente de los Estados Unidos?"

[Folding down and quick look.] "J. C. Penney."

"¿Y dónde vive el presidente de Estados Unidos?"

[Same routine, except it takes a little longer.] "Chicago."

"¿Y cuáles son los tres colores de la bandera americana?"

[This time the performer keeps folding down the front of his shorts and trousers, looking deeper and deeper, and deeper still.] "Mmmm ... café y ... mmm ... amarillo. Y, mmm ... ¡y jaspeadito de colorado!"

El otro compadre tenía almorranas.

188
Rayando el jol (# 32)

Éstos eran dos compadres y uno de ellos estaba en el hospital. Y el otro compadre lo fue a ver. Entró al cuarto y no lo encontró. En eso pasa una enfermera.

"Oiga, señorita, ¿usted habla español?"

"Sí, cómo no."

"¿Me puede decir dónde está mi compadre?"

"Sí, por ahi anda en el hall."

"¡Ah que mi compadre tan pendejo! ¡Y así enfermo como está! Dígale que no ande en el jol. Que se venga pa' acá pa' la jombra."

189
Falto de datos (# 7)

Estaban estos dos compadres, medios pedos ahi en una cantinita. Cerveza y cerveza. Le dice uno, "Oiga compadre, me dicen que usté es muy instrúido. Quiero que me saque ... de una duda."

"Pos a ver, compadre. A ver como le entro ... al asunto."

"Pos dígame, ¿en qué se parece una gringa a un aeroplano?"

Se queda pensativo el otro ... "¡No esté chingando, compadre! ¿Cómo quiere que le diga, si nunca me he subido en aeroplano?"

190
Darwinismo mexicano (# 6)

Estaban dos compadres echándose unas heladas en una cantinita por la Calle Catorce, la de Dávila y Mariano. Y le dice uno al otro, "Oiga compadre. Usté que fue a escuela de paga. ¿Me puede contestar esta pregunta?"

"Pos échesela, compadre."

"¿Cuál es el animal que más se parece al hombre?"

"Pos eso ni chiste tiene. El chango, compadre."

"No compadre. Usté pendejió. Está muy equivocado."

"Entonces, ¿cuál es?"

"El gringo."

191
La mejor parte (# 17)

Estaban estos dos compadres platicando, echando la viga de que los americanos eran muy injustos con los mexicanos. Entonces dijo, "No cabe duda, compadre. Nos desgraciaron."

"Sí, compadre, es una historia que no tiene fin," dijo. "Imagínese nomás," dijo, "que nos quitaron Texas, California, Arizona y Nuevo México. La mitad del territorio nacional."

Dijo, "Eso vale sorbete, compadre. Se agarraron la mitad con todo lo pavimentado."

192
¡Primero El Chamizal! ¡Después Tejas! (# 46)

Después de que Kennedy hizo su visita a México estaban estos dos compadres hablando de lo bien que se había portado con los mexicanos. Y dice, "Noooo. Con este Kennedy la llevamos muy bien, compadre. Ahi andan diciendo que El Chamizal no' los van a devolver."

"Calle, compadre. Si train dos abogados pero buenos que andan recla-
mando a Tejas."

193
Asuntos de compra y venta (# 7)

Estaban estos dos compadres en una cantinita rascuache ahi en Kinesbil.
Y dice uno, "¡Uju-juy, compadre! ¡Me están dando ganas de vender la
Kineña!"

"No esté jodiendo, compadre," le dice el otro, "que al cabo no se la
compro."

194
El compadre También (# 45)

Había una cantina en Harlingen de esas donde van puros cristalinos. Y
pasaron por allí unos mexicanos. De parranda, y uno de ellos ya andaba
sintiéndose aviador, muy macho el pelado. Dijo, "Gringos sanavabiches.
Que se me hace que entro y les digo que son puros cabrones."

"Ándale," le dice otro. "Que al cabo no te entienden."

Pos entra y se para en medio de allí y les dice, "¡Todos los que están aquí
son puros cabrones!"

Pues había uno que sí entendía español, un poco por lo menos. Viene y
le dice, [accent] "Oye, hombre, mí no ser cabrón."

"Oh no," dice el pelado, "tú eres mi compadre también."

"¿Yo ser tu compadre también? Okay."

Entonces le dice el nacional, "Ven pa' acá." Le echa el brazo y dice,
"Todos los que están aquí son puros cabrones, menos mi compadre también."

195

El compadre despilfarrador (# 15)

Este Kennedy, cuando estuvo en México le hicieron un recibimiento grandísimo. Pusieron policías, ¡cantidades! Como nunca se había recibido a ningún hombre en México.

Y naturalmente no falta un borracho que ande ahi mamado. "Doy un dólar," gritó, "por el güero. Y dos dólares por el de aquí." Que era López Mateos porque andaban juntos.

Pues hombre, que ha llevado un susto, ¿eh? Viene un policía y lo pesca y al bote. Ya bien pedo.

Y el traiba un amigo, un compadre de él que andaba con él. Pos que va a sacar al compadre. "¿Por qué tienen a mi compadre acá?"

"No," dijo, "¿no oíste lo que andaba diciendo allí del Presidente López Mateos y de Kennedy?"

"No se fijen ustedes," dijo. "Es que mi compadre es medio pendejo y a veces dice las cosas mal."

"No," dijo, "si andaba diciendo que daba un dólar por uno y dos dólares por el otro."

"Ah," dijo, "así es mi compadre. Cada vez que se mama compra pura cagada."

¡Y al bote con el compadre también!

196

El compadre matematicudo (# 14)

Este ranchero medio pendejo fue a pedirle un consejo a su compadre, que tenía fama de ser muy vivo. Había comprado cinco vacas por cien dólars. "Oiga compadre," dijo, "yo no puedo sacar a como me salieron las vacas."

Dijo el vivo, "Cierre las puertas, compadre. Cierre todas las ventanas, que naiden mire, que aquí hay gato encerrado."

Y agarró un cuaderno y se acabó el cuaderno, y otro cuaderno. Y se acabó tres cuatro cuadernos sacando cuentas.

Dijo, "Oiga compadre," dijo. "Fíjese qué bueno estuvo. Pagó usté veinticinco dólars por cada vaca y se vino una de más. Salió ganando. De la que salió de pilón hay nos repartemos usted y yo.

197
No se ven muy bien (# 6)

Estaban estos dos compadres hablando de lo bien que se llevaban ahora los negros con los mexicanos. "Sí compadre," dice uno, "pero no todos. Fíjese que Ray Charles no nos puede ver."

"Pero cómo es posible, compadre. ¿Qué jodidos le hemos hecho pa' que nos tenga mala voluntad?"

"No, compadre. Es que el pobre cabrón está ciego."

198
Los compadres pescadores (# 14)

Estaban estos dos compadres pistiando en una cantinita en Punta Isabel. Ahora le dicen Puerto Isabel. Y les gustaba mucho la pesca. Así es que después de algunos tragos empezaron a platicar de lo que les había ocurrido en los viajes de pesca. Y dice uno, "Fíjese, compadre, que pesqué una trucha pero bruta. Pesaba 99 libras."

Y es que la trucha pesa como 15 or 20 libras cuando mucho.

Y entonces le dice el otro, "Pos si viera, compadre, que eso no es nada. Fíjese que yo el otro día, compadre, me fui a pescar. Y tiré el anzuelo y ¿sabe lo que saqué? Saqué un farol prendido."

"Oiga, compadre, no la joda. Siquiera apágueme el farol."

"Bueno," dijo, "córteme usted siquiera unas setenta libras a la trucha y yo le apago el farol."

199
Le tocó la mala suerte (# 8)

Se encontraron estos dos compadres que tenían mucho tiempo de no verse. "Compadre ¡qué gusto de verlo! ¿Cómo van las cosas?"

"Así y así, compadre."

"¿Y cómo está la comadre?"

"Bien, compadre, muchas gracias."

"¿Y las muchachas?"

"Ya crecidas y casadas todas. No me podría quejar."

"¿La más chiquita también?"

"Sí compadre, pero no le fue muy bien. Le ha tocado mala suerte, compadre."

"¿Cómo así?"

"Fíjese que le salió cabrón el esposo."

200
¡Ah raza! (# 14)

Estaban dos compadres en una cantina tomando. Y estaban solos. No había nadie más allí más que el cantinero del otro lado de la barra. Y en eso le dan ganas a uno de ellos de ir a orinar y va al rest room. Al arreglarse la ropa se atoca la bolsa y se da cuenta que le falta la billetera.

Se deja venir pa' la barra. Dice, "¡Ah compadre! ¡Me volaron la billetera!"

Y dice el compadre, "¡Ah raza chingada!" [Rising, long-suffering tone of voice.]

"No, no, no compadre. Qué raza ni que nada. Si nomás usté y yo estamos aquí. Devuélvame mi billetera."

201
El compadre delicado (# 6)

Como los otros dos compadres, que vivían en el rancho. Muy íntimos amigos. Pero se le ocurre a uno de ellos cambiarse al pueblo. A Kinesbil. Y cada vez que iba al rancho le decía al otro, "¿Cuándo me viene a visitar, compadre? Puede venir como a su casa." Y todo lo demás.

Por fin vino el compadre del rancho y estuvieron los dos allí en la casa platicando de sus tiempos cuando eran muchachos. Y después le dice, "Oiga, compadre, como no nos tomamos un par de cervecitas. Aquí en el barrio hay una cantinita muy regular."

"Pues quisiera y no quisiera, compadre," dice. "Ya sabe usted como son los pelados en las cantinas. Después de que están encervezados empiezan con las indirectas. Y yo soy muy delicado en esas cosas, compadre, como usted lo sabe. Si me echan una indirecta, me enfurezco y soy capaz de hacer un borlote y ponerlo a usted en mal con los del barrio. Hasta soy capaz de matar a algún individuo."

"No se preocupe por eso, compadre. La cantinita está aquí a l'otra esquina y nomás gente del barrio va por allí. Nadie le va a faltar al respeto."

"Bueno," dijo el compadre que era muy delicado. "Vamos. Pero si empiezan con indirectas nos volvemos pa' su casa."

Pues fueron. Y no. Era toda gente muy pacífica. Y se arrimaron a la barra, cerca de la puerta, y ordenaron unas cervezas y nadie les dijo nada. Pero el compadre que era muy delicado se quedaba viendo pa' allá y pa' acá. [Guarded, sidewise glances to one side, then to the other.]

En eso se oye un alarido y entra un pelado grandote, tofudo. Y pegó otro grito y dijo, "¡Todos los que están aquí son puros cabrones!"

"Ya l'hubo," pensó aquél. "Con esto se enfurece mi compadre y va a haber un borlote grande."

Pero el compadre que era muy delicado se quedo así. [Eyes front; cold, calculating expression.] Y levantaba la botella de cerveza, daba un traguito y la volvía a poner en la barra con mucho cuidado. [Mimics raising a bottle very slowly and carefully and putting it down the same way.] "Lo está tantiando," pensó el otro. "Ojalá que en esto quede y que ese pelado se vaya antes de que otra cosa suceda."

Pero el pelado pegó otro grito y dijo, "¡Todos los que están de este lado de la barra son puros jijos de la chingada!" [Sweep of arm toward the right side.] El primero que estaba de ese lado era el compadre que era muy delicado.

"Ora sí," pensó el otro. "Aquí es donde revienta mi compadre." Pero aquél seguía viendo pa' delante, con la botella de cerveza en la mano. La subía como qu'iba a dar un trago, pero no. La volvía a bajar como que l'iba a poner en la barra. Pero no la ponía. Y así y así, muy despacito. [Slow, deliberate raising and lowering of hand, tense look on face]

Se fija el pelado y se le acerca. "¡Y tú, cara de mípalo, como no vas y chingas a tu reputa madre!"

Entonces sí que puso la botella en la barra [abrupt, decisive action] y voltea y le dice al otro, "Vámonos compadre. ¿Qué le dije? Ya empezaron las indirectas."

202

Los hijos del diablo (# 22)

Ésta es muy vieja, de cuando empezaron a venir mucha americanada para acá. Dos comadres estaban platicando, and one was telling the other to be careful with her daughter because she had seen her keeping company with a bolillo. Now this is cuando comenzaron a venir mucha americanada.

"Cómo así, comadre."

"Sí, comadre, tenga cuidado con los bolillos. Ya vi a la ahijada que anda con el Johnny ese. Los bolillos son hijos del diablo, comadre."

"¡Pero cómo, comadre!"

"Sí, comadre. Mire usted, no me lo va a creer. Pero l'otro día vi a uno sacarse lumbre del fundillo pa' prender el cigarro."

They would light those big matches on the seat of their pants.

203

Dos toreros (# 7)

Estaban platicando dos comadres. Y ¿de qué murió su hijo, comadrita?"

"Era torero, comadre. Murió al hacer un quite."

"Ay, pos fíjese que el mío murió de un quite también."

"Pues, ¿que también era torero?"

"No, comadrita, de un quite de calzones que le dio a una gringa."

Lo habían linchado al pobre cabrón.

204

Las tres comadres (# 6)

Eran estas tres comadres que estaban viendo los teams de dos escuelas, jugando el buen juego de football, muy popular en North America. Y dice una de ellas, "Mi hijo está jugando."

"El mío también," dice otra.

Y luego la otra también, "El mío también está jugando." En la misma escuela los tres.

Ahora, cuando estaban viendo el juego el chamaco de una de ellas agarró la pelota y corrió quince yardas antes de que lo tumbaran. Y se puso muy contenta la mamá. "Ése es mi hijo," dice, "y lo crie con pura leche del Clavel."

Después, al rato el hijo de la otra comadre agarró la pelota y corrió veinte yardas. Y dice la mamá, "Ése es mi hijo y yo lo crie con pura leche de Pet."

Después de un buen rato el otro muchacho agarró la pelota, en el two-yard line, y corrió noventa y ocho yardas—solo, libre y soltero. Touchdown!! Pero no. Los officials estaban diciendo, "Safety!" He had run the opposite direction and across his own goal line.

Y entonces dice la mamá del chamaco, dice, "Ése es mi hijo y yo lo crie con pura leche de Magnesia."

Y las otras dos señoras le dicen, "Pero ¿cómo es eso, comadre? ¿Criar un niño con leche de Magnesia?"

Dice, "Sí, comadres. ¿Que no ven la cagada que acaba de hacer? La regó por todo el fil."

205

Monolingüe (# 24)

Una señora abordó el tren este que va a Houston, ahora que estaban en especial los rates. Ella y la hija. Y la señora había comido el platillo mexicano que produce mucho hidrógeno. Ahora con la cuestión de la bomba hidrogénica se le dio mucha importancia a México porque es el país que produce más frijol y el frijol es el que contiene más hidrógeno.

Bueno, como quiera que sea, la señora iba media sofocada y se le hizo fácil, como iba poca gente, se le hizo fácil soltar uno. Y salió muy tronado.

Y entonces le dice la hija, "¡Ay mamá!" dice. "Para qué hacía eso. La oyó el conductor. Viene sentado cerquita de nosotros."

Dijo, "No te preocupes, hija. Ese viejo gringo no entiende español."

206
Nada de favoritismo (# 10)

Hubo un tiempo en que G_____ H_____ [mentions a sheriff's deputy present] estuvo de carcelero. Y llevaron a una gringa allí, presa por borracha y escandalosa. Y no quería estar en la cárcel. Quería pagar multa allí y pelarse en seguida.

Le dice G_____, "You're going to spend the night in jail, and next morning when you sober up we'll see what the judge says about your fine."

Y dice la bolilla, "Well, if I'm going to spend the night here," dice, "you got to get me some Kotex in the morning."

Dice, "Kotex hell! You'll eat oatmeal just like everybody else!"

207
Las cuatro letras (# 16)

Una vez me tocó llevar unos prisioneros a Austin, y me llevé a este cabrón [jerks thumb at man sitting next to him] de compañía. Bueno, pos de vuelta ya era noche y me empezó a dar sueño. Le dije al compañero, "Oye," le dije, "cómo no manejas un rato tú."

"Sí, cómo no," dice.

Pero nomás que este cabrón no sabe leer muy bien y tuve miedo que violara la ley y nos pescara la patrulla del Estado. Le dije, "Mira, fíjate que te pares cada vez que veas un Stop Sign." Teníamos que pasar por muchos pueblitos en esos tiempos.

"Muy bien."

"Acuérdate. Son cuatro letras. Si las ves en un letrero te paras."

Pos al rato, venía yo cabeciando, de repente se para. Miré. No había nada. Nos habíamos parado al lado de la calle. "¿Qué pasó?"

"Pos allí está el letrero con cuatro letras."

El letrero decía B, E, E, R. Pos nos bajamos y nos tomamos una cerveza.

208

No se dejaba engañar (# 9)

Este M_____ es medio pendejo pero en el ejército le enseñaron a leer
y escribir, por lo menos. Y después de la guerra consiguió que lo ocuparan
de policía aquí en Brownsville. Y un día paró a un turista que venía de
Chicago, ¿ves? Quién sabe qué hizo el turista, se pasaría en un Stop Sign.
Paró al turista este y saca su libreta pa' apuntar y dice, "Where you from?"
   Le dice el turista, "Chicago."
   Va y se fija en las placas. "Chicago, hell!" dice. "What kind of shit you
trying to give me? You say you're from Chicago, and your license plates
say you're from Illinois!"

209

Muy vivos los americanos (# 24)

Este hombre había estado muchos años en Estados Unidos y por fin
volvió a su tierra. Y le pregunta un compadre, "¿Qué tal le fue en Estados
Unidos, compadrito?"
   "Pos muy bien. Fíjese que yo ni trabajaba, nomás mis hijos. Los llevaba
al fil y me quedaba yo en la troca mientras ellos pizcaban."
   "Y ¿qué tal le gustan los gringos?"
   "Pos con treinta años que estuve por allá no me dejaron de admirar. Son
muy vivos esos cabrones."
   "¡Cómo así compadre!"
   "Fíjese que yo en todo ese tiempo apenas aprendí a decir Jaló y Gubái.
Y estos gringos así chiquititos [gesture to show small child] ya hablan el
inglés. Pero retebién."

210

Abundancia (# 6)

Este mojadito vino a Estados Unidos y se quedó sorprendido porque la gente aquí vivía tan bien. Con tanta abundancia de todo. Tenían tanto de todo que les sobraba y lo tiraban a la basura. "Pues no," dijo, "pa' qué trabajar."

Y allí empezó a hacerse vivir yendo por los callejones. Y levantaba comida que tiraban en los calderos de basura. Pues una vez iba por un callejón detrás de una cantina. Y habían corrido a una gringa mamada de la cantina, la echaron por la puerta de atrás al callejón. Y ésta quizo vomitar en un caldero y se quedó atrancada allí, con la cabeza adentro del caldero y la ráiz pa' arriba. Pos no perdió la oportunidad el peladito. Se le subió.

Y cuando fue de vuelta allá a México le preguntan, "Oye, Pedro, ¿cómo te fue en Estados Unidos?"

"No, hombre," dice, "si los americanos tienen de todo lo bueno y lo tienen de sobra. Yo me hacía vivir," dice, "nomás por los callejones, levantando lo que tiraban a la basura. Bisteques, barras de pan enteras, todo tiran estas gentes. Fíjate nomás, qué tan ricos serán, que hasta muy buenos culos tiran a la basura."

211

¡Y se acabó la cuestión! (# 23)

Había un banquete muy grande, de ambassadorial rank, en Inglaterra, y había embajadores de todas partes del mundo. Y la reina era la hostess, como se puede esperar. Pero algo le había caído mal a la reina y cuando estaban cenando soltó un pedo. ¡Recio, chingado!

Y se levantó el embajador francés y se hizo así [bows] y dijo, "¡Pardonnez-moi!" Para echarse la culpa él.

Al ratito, chingado, no pudo aguantar la reina y soltó otro. ¡Tronado! Se levantó el embajador alemán y echó un dispénsenme, que lo sentía mucho. Que era culpa de él.

Al rato ¡otro! Y se levanta el embajador de Estados Unidos. "Excuse me, please."

El mexicano cabrón pensó, "¡Ya esto chole! Ya me la tienen así con estas chingaderas." [Gesture, something the size of a basketball.] Se levantó y dijo, "Damas y caballeros, los siguientes pedos que tire la reina van todos por cuenta del embajador de México."

212

¡Cósmicas! (# 22)

Cuando éramos muchachos mi hermano y yo, íbamos allá en los veranos a trabajar con unos tíos de nosotros en un cotton gin que tenían. Había veces que teníamos que esperar que llegara más algodón. Y teníamos mucho tiempo en que no hacíamos nada mas que estar allí sentados. Y se contaban muchas tallas. Pero había algunos entre los más educados que hablaban de otras cosas.

Una noche estábamos sentados afuera. Estaba muy claro el cielo y la plática vino a dar sobre el Milky Way, y por qué está allí. Y este individuo nos contó el cuento de que se había formado una vez que Hera—I believe it was Hera—was giving her breast to Vulcan, as a little baby. She notices his clubfoot, drops him, and the milk spills out of his mouth. It spreads out across the sky and becomes the Milky Way.

Y uno de los rancheros que estaba oyendo se queda viendo pa'l cielo por un rato. Y después dice, "¡Chingado! ¡Qué chiches de vieja!"

213

En Robestáun (# 7)

En Laredo hay una calle que se llama Corpus Christi. Bueno, y este borracho venía saliendo de una cantina en Laredo. Se fue a la esquina y vino un autobús y se paró. Y se acercó el borracho a la puerta y dice, "Oye, ¿que éste es el bos de Corpus Christi?"

Dijo, "Sí." Era el autobús que iba a la calle Corpus Christi de Laredo.

Pues se subió el borracho y se sentó. Iba ya medio, medio, medio. Y ... este ... se paró el bos como a las cuatro cinco cuadras después, en un Stop Sign. Y estaba una pianola a todo dar, tocando un tacuachito. Y dice el borracho, "Aquí me bajo en Robestáun."

214
La seña secreta (# 28)

Iba este turista en el tren de Matamoros a Monterrey. Un tren muy rápido, no toma más de veinticuatro horas pa' llegar a Reynosa. Y venía un mexicano con él, de acá de Tejas. Y le dice el gringo, "Bueno, ¿y cómo son los mexicanos de acá de México?"

"Malos," dice, "muy malos. Todos pertenecen a la Mano Negra. Si te descuidas, te cortan el pescuezo."

"You don't mean that!"

"Of course I mean it. I get along all right because I'm a member myself." Y le dice, "Mira. Vas a ver. El siguiente pueblito que pase el tren va a haber uno de ellos. Le hago una seña secreta y verás como me va a contestar."

Pos pasa el tren por un pueblito, y éste saca la cabeza y ve un pelado que los estaba mirando. Y le hace un violín.

Y luego-luego el pelado le hace así [bends forearm up and down, fist clenched, holding upper arm with other hand].

"¿Ya ves?" le dice. "¿Como me entendió?"

215
Acrofobia (# 10)

Éste era un pelado que era oficial del ejército en México, y era el brazo derecho de uno de los generales. Y un día le dice el general, dice, "Fulano, vas a tener que ir a tal parte a llevar un mensaje muy importante."

Dice, "Sí, mi general, lo que usted diga."

Dice, "Nomás que vas a tener que ir en avión."

"¿En avión, mi general? Usted sabe que yo nunca he andado en avión."

"¿No?" dice. "Pues vas a tener que."

"No, que yo les tengo mucho miedo."

"¿Pero por qué?" dice. "Si ahora todo el mundo viaja en avión."

Dice, "Pues sí, mi general," dice, "pero yo lo más alto que me he subido es arriba de mi mujer. Y me bajo mareado."

216

Salto de altura (# 6)

Este rancherón vino del otro lado y se metió en el Air Force. Y lo pusieron de paracaidista. Pues un buen día lo subieron en un avión. Y ahi va y ahi va. Tocó que el piloto era mexicano de este lado. Y le pregunta, "Oye, ¿y pa' qué me train acá?"

"Pos tienes que brincar."

"¿Brincar? ¿Del avión?"

"Sí."

"Pos qué le vamos a hacer. El valor me sobra. Pero oye, ¿qué tan alto andamos?"

"Veinte mil pies."

"Bájale un poquito, hombre."

"No," dice, "no puedo. Me están viendo los gringos."

"Bájale, hombre, si somos paisanos."

Pos le bajó a quince mil. "Oye, bájale más, hombre."

Bueno, le bajó a diez mil. "Más, hombre, más."

Y se deja venir aquél hasta como a mil pies de la tierra. "No seas malo, paisano. Bájale un poquito más."

"No se puede, hombre. Más bajo no se abre el paracaídas."

"Ah, ¿que hay que brincar con paracaídas?" [Voice: "Pendejo, pero muy hombre el cabrón."]

217

¡Ahi vienen los gringos! (# 3)

Ahi cuando la guerra se pusieron las cosas bastante feas. Y despúes de que nos hundieron el "Potrero del Llano," pos no hubo más remedio. Se declaró la guerra. Y empezaron a entrenarse las milicias, y ya parecía que iban las tropas mexicanas a pelear en contra de Alemania y el Japón.

Pos dicen que en eso se presenta un rancherote de por ahi pa' adentro. "Vengo a defender la patria. Demen un rifle."

Y ya que lo habían metido de mocho, "Bueno, ¿y cuándo empezamos con estos gringos jijos de un tal?"

"No seas bruto," dice, "¿no ves que somos aliados?"

"Ah," dice, "si por eso vine. Nomás porque me habían dicho que ahi venían otra vez los gringos. Si no con los gringos, ¿entonces con quién peleamos?"

List of Informants

and their Contributions to this Volume

1. Mexican male born in 1899 in Matamoros *municipio* but educated in the U.S. Matamoros dry goods merchant, rancher, and amateur historian.
Text: No. 17.

2. Mexican male born in 1902 in Matamoros *municipio*, where he lived all his life. Was farmer and rancher, and occasional small-time smuggler when things on the homestead were slow.
Text: No. 8.

3. Mexican male born in late 1890s in Matamoros *municipio*. Blind, itinerant merchant (*varillero*), singer, and raconteur. He lost his sight after reaching maturity. As a young man he fought as a volunteer in defense of Matamoros against an attack by Villa forces in March 1915. He admired Villa, nevertheless, especially after Villa's attack on Columbus, New Mexico, in 1916.
Texts: Nos. 7, 81, 106, 122, 132, 154, 176, 217.

5. Texas-Mexican male born in 1913. Veteran of World War II and Korean War. Worked as groundskeeper for a Cameron county school district after his retirement.
Text: No. 96.

6. Texas-Mexican male born in 1920. World War II veteran. School principal in Brownsville. A gifted performer and "man of words," to borrow Roger D. Abrahams's phrase for skilled African American performers.
Texts: Nos. 12c, 24, 36, 40, 45, 66, 88, 99, 101, 125, 137, 141, 142, 149, 168, 170, 187, 190, 197, 201, 204, 210, 216.

7. Texas-Mexican male born in 1927. Korean War veteran. School principal in Brownsville. Like Informant #6, a skilled performer and "man of words."
Texts: Nos. 34, 35, 37, 41, 51, 121, 134, 155, 158, 167, 173, 189, 193, 203, 213.

8. Texas-Mexican male born in 1908. Successful lawyer, highly acculturated but not assimilated. An excellent performer in dead-pan style.
Texts: Nos. 12a, 19, 39, 43, 56, 61, 153, 164, 169, 182, 184, 199.

9. Texas-Mexican male born in early 1930s. Was employed as a salesman for a U.S. company in Border area. Also was a school board member in the 1960s and 1970s.
Texts: Nos. 38, 118, 157, 208.

10. Texas-Mexican male born c. 1900. At one time was employed as interpreter at county courthouse.

Texts: Nos. 29, 55, 206, 215.

11. Texas-Mexican male born in 1918 in the Middle West but raised on the Border. Was a junior high school principal in a Border school district.

Texts: Nos. 67, 156.

12. Bilingual Anglo-Texan female born c. 1890. A retired teacher of college Spanish when recorded.

Texts: Nos. 52, 179.

13. Texas-Mexican female born 1913. Was a teacher of Spanish in a high school in San Benito, Texas.

Texts: Nos. 50, 80, 85, 138, 178.

14. Texas-Mexican male born c. 1920. Was a deputy constable in Cameron county. A competent performer with a very good memory.

Texts: Nos. 12b, 26, 44, 46, 48, 59, 60, 72, 74, 113, 130, 131, 135, 143, 147, 150, 175, 196, 198, 200.

15. Texas-Mexican male born in Cameron county in 1905. Owned a grocery store in Brownsville. Was host to a couple of *talla* sessions in his store after business hours.

Texts: Nos. 9, 10, 14, 42, 151, 195.

16. Texas-Mexican male born c. 1900. Was a deputy sheriff with a reputation for courage. Grammar-school education.

Texts: Nos. 30, 207.

17. Texas-Mexican male born in 1906. Was a wholesale candy salesman in Cameron county.

Texts: Nos. 13, 28, 57, 65, 73, 82, 93, 110, 191.

18. Texas-Mexican male born in 1904. Was a barber in San Benito.

Texts: Nos. 49, 124, 140.

19. Mexican male born in 1886 in Matamoros *municipio*, where he lived most of his life, first as farmer and rancher, later as peace officer. Belonged to one of the families living on the Mexican side of the river which had once owned land in what later became south Texas. He was very bitter toward the U.S.

Texts: Nos. 3, 5, 11, 18.

20. Naturalized U.S. citizen, male, born in Mexico in 1905 but came with family to south Texas during the Mexican Revolution. Owned and operated a service station in Brownsville at time of performance. Thoroughly bilingual and no longer thought of himself as being anything but a Texas-Mexican.

Texts: Nos. 54, 63, 64, 95, 136.

21. Texas-Mexican male born in mid-1920s. A public school teacher when recorded. A good narrator with a large store of jests, many more than are included here.

Texts: Nos. 25, 32, 47, 111, 144, 146, 172, 180.

22. Texas-Mexican male born in 1910. Lawyer and county court-at-law judge.

Texts: Nos. 20, 21, 58, 102, 108, 133, 171, 202, 212.

23. Texas-Mexican male born in Cameron county in 1912. Public school teacher.

Texts: Nos. 105, 109, 148, 183, 211.

24. Texas-Mexican male born c. 1910. At time of performance was a public school attendance officer. The best performer of jokes I have known, a master at mimicking tones of voice and gestures of his characters and of ad-libbing asides into his narration.

Texts: Nos. 62, 76, 77, 78, 87, 91, 98, 104, 107, 115, 129, 139, 159, 160, 161, 163, 165, 174, 181, 185, 186, 205, 209.

25. Texas-Mexican male born in 1922. A teacher of physical education in a public school in Cameron county. Some Anglo ancestry.

Text: No. 53.

26. Mexican female born in 1894. Folklorist. Recorded in Mexico City.

Text: No. 84.

27. Mexican American male born in Mexico c. 1900. Immigrated to the U.S. as a young man and was employed by Inland Steel, East Chicago, for many years. Was especially good as a narrator of *Märchen* but could also perform jokes.

Texts: Nos. 127, 128, 162.

28. Texas-Mexican male born in Corpus Christi in 1909 but raised on the Border. From middle-class family but abandoned everything to become what he called "un caballero a la intemperie." Good performer and verbal duelist. Besides jests, his specialty was telling obscene versions of *Märchen*.

Texts: Nos. 23, 75, 90, 92, 94, 100, 116, 126, 166, 214.

30. Mexican female born in 1904 in the Matamoros *municipio*, where she lived all her life. She remained single and managed the farm lands she inherited, living alone on her lands until the final years of her life, when she moved to the city of Matamoros.

Text: No. 89.

31. Mexican male born c. 1910. Owned a printing shop in Ajusco, D.F., where he printed mostly religious publications, though he seemed something of a religious skeptic.

Texts. Nos. 22, 70.

32. Texas-Mexican male born in 1926. Pharmacist in Brownsville.

Text: No. 188.

34. Anglo-Texan male born c. 1910. State district judge. Not completely bilingual but spoke passable Spanish.

Text: No. 103.

35. Mexican male born c. 1920. Was an immigration official at one of the Texas-Mexican border crossings.

Text: No. 117.

36. Texas-Mexican male born in 1925. Public school teacher.

Text: No. 27.

37. U.S. painter born c. 1920 and living in Taxco, though text was recorded in Tlaquepaque, Jalisco.

Text: No. 119.

38. Mexican male born c. 1930. Was a tourist guide in Mexico City, though his family originally was from Nuevo León.

Text: No. 177.

41. Mexican male born in 1894. Folklorist. Recorded in Mexico City.

Texts: Nos. 69, 71, 83, 86, 97, 114.

42. Texas-Mexican male born c. 1920. Owned a taxicab company at time of recording and occasionally drove taxis himself.

Texts: Nos. 79, 112, 120.

44. Jewish American female born c. 1920, living in Mexico City, where texts were recorded.

Texts: Nos. 68, 123.

45. Mexican American male born in 1933 on the Border but recorded in East Chicago, Indiana, where he was employed in a steel mill.

Texts: 145, 152, 194.

46. Texas-Mexican male born in 1911. World War II vet. Except for foreign service during the war, spent most of his life as a farmer in the Rio Grande Valley.

Text: No. 192.

47. Mexican male born c. 1900. Was a peace officer in the Matamoros *municipio* when recorded. Said to be a nephew of Gregorio Cortez on his mother's side. Claimed he had been a *sedicioso* when he was 15 or 16 years of age.

Texts: Nos. 2, 4, 15.

48. Texas-Mexican male born c. 1890 and living in Austin, Texas. Was a friend of Gregorio Cortez's son, Valeriano.

Text: No. 16.

50. Texas-Mexican male born c. 1910 in Rio Grande City. School teacher.

Text: No. 31.

55. Texas-Mexican male born in 1913. A World War II veteran, he was a U.S. government employee in San Antonio.

Text: No. 33.

56. Mexican male born in 1885 in Matamoros *municipio* of old Border family.

Text: No. 6.

57. Border Mexican male born in 1888 in Matamoros. Had lived since 1914 in Brownsville, where he had worked for several large business concerns before retirement.

Text: No. 1.

Notes

1 *Los excesos de los Rangers* (# 57)

This text is a straightforward statement of fact as the informant, a credible eyewitness, remembered the events 45 or 46 years after they occurred. The informant was fair, blue-eyed, bilingual, and he usually wore business suits during his active years. His appearance may have saved his life. The Ranger who executed "the man who looked like a tailor" must have taken him for an Anglo. I have not been able to find anything in print about this Ranger killing inside a U.S. post office. This is not surprising; however, the informant's remarks that the man was a Mexican citizen and that he apparently was a tailor "or something like that" (things he could not have known when he witnessed the shooting) indicate that he heard or read in Spanish-language newspapers of the time something more about the matter not long after the man's death.

2 *Vienen de mujeres putas* (# 47)

The B_____ referred to in the anecdote is the son of immigrants to Texas from Spain, though he regards himself as a Texas-Mexican and is so from a cultural point of view. Having a Texas-Mexican of unmistakable European ancestry defend Mexicans in general with a "Yes, we are descended from Indians" is an interesting touch. The attitude taken by the informant toward American women was common among men of his generation.

3 *Las dos Virginias* (# 19)

Informant was a truly artistic narrator, but he would have been offended if he had been told he related "legends" or "folktales." He always told the truth as he knew it, though in this text he was betrayed by his lack of knowledge of U.S. history. All his narratives, however, were colored by a bias against women in general and American women in particular. Note use of *tolerancia familiar* as a euphemism for sexual promiscuity or wife-lending: "family prostitution." Cf. *zona de tolerancia*, the usual (official) term for "red-light district." The narrative was done in strict seriousness.

5 *La quema de Antonio Rodríguez* (# 19)

According to accounts published in central Texas newspapers, on November 3, 1910, a 20-year-old man named Antonio Rodríguez was burned alive by a mob, which took him from the Rock Springs, Texas, jail to a spot a half-mile out of town, where he was tied to a mesquite. "Wood was then collected" and piled around the man, who then "stoically" endured his fiery death. Rodríguez, according to newspaper reports, was from Coahuila. Except for missing the exact date of the lynching by six days (November 9 instead of November 3), our narrator, up to this point, agrees very closely with official accounts as reported by the press after the lynching. Beyond this point, however, our text and the newspaper reports vary widely.

According to the newspapers, Rodríguez had shot and killed an Anglo ranch housewife 18 miles from Rock Springs the afternoon of November 2. The husband arrived "shortly" after his wife died, about two in the afternoon. A posse "immediately set out in pursuit" of Rodríguez, but they were not able to find him before darkness suspended the search.

About nine the next morning Rodríguez rode up to another ranch "near here" (Rock Springs) and offered to work for something to eat and drink. "After helping around" for a while he was fed. Meanwhile the rancher, suspecting he was the wanted man, "drew down on him." Rodríguez was bound and taken to the Rock Springs jail, from which he was taken by the lynching party at 4 p.m. that same day.

So it appears that Antonio Rodríguez was not an innocent victim, as our narrator portrays him, but a murderer. One may wonder, however, at the savagery displayed by the lynch mob in exacting its vengeance. A rope, it seems, was not enough. One is reminded of similar lynchings perpetrated on Black men during the same period, Blacks who were accused of raping white women. It seems worthwhile, therefore, to take a closer look at the press reports concerning the incident, and to take into consideration some brief comments on the matter made by other Border Mexicans of Informant #19's age.

Newspaper accounts gave three versions of the killing of the Anglo woman: (1) she surprised Rodríguez inside the house, burglarizing it, whereupon he shot her in the head and heart; (2) she and Rodríguez argued on the back porch or gallery, after which Rodríguez shot her; (3) she was sitting on the back porch when Rodríguez rode up, shot her, and galloped away. Version number one is the first mentioned, placing the killing inside the house. Then come the other two, which move the scene of the murder out to the gallery.

Rodríguez's actions after his alleged crime are puzzling indeed. Here we have a Mexican in Texas, during a very racist period of the state's history, who has just murdered an Anglo woman. The least he can expect is death at the end of a rope. His only chance is to ride for the Rio Grande, some sixty miles away, and into Coahuila, where he might find refuge with relatives or friends. Yet, at 9 a.m. of the following day, more than 19 hours after he supposedly murdered the woman, he rides into a ranch "near" Rock Springs and proceeds to work for his breakfast. How near is "near" in a horse-back culture? Three miles? Five? Eight? The scene of the crime was 18 miles from Rock Springs.

Either Antonio Rodríguez was the most stupid man on earth, or he did not know the woman was dead. Other Mexicans I spoke to, not endowed with Informant #19's narrative gifts or obsessed by his views about the evil of all women, summed up the matter in a few words. Antonio Rodríguez was not the reluctant victim of the woman's passion. He was her lover. Surprised by the husband's unexpected return, he jumped on his horse and rode away as fast as he could. This view of the matter may besmirch the reputations of innocent people, and that is why no names are mentioned here. But it would explain Antonio Rodríguez's strange behavior. He rode away to escape the anger of a wronged husband, not because he had committed murder.

Informant #19's narrative gifts are well displayed here. He creates a whole cast of characters, including some Black workers at the ranch. The woman is young and childless (though in fact she had at least one child), and she is a reincarnation of Potiphar's wife. The narrator also uses Antonio Rodríguez's cruel death as a vehicle to vent his indignation against the United States and its foreign policy.

For another example of this informant's artistic rendering of oral history, see Paredes, *Aztlán* 4:1 (1973), pp. 20–23.

6 *Los vendidos por Santa Anna* (# 56)

Variants of this narrative were often told by men of the informant's age, expressing the conviction that guerrilla warfare would have defeated the *yanqui* invaders. I had heard versions of the same story before World War II from my father and other old men in my extended family.

7 *Villa y los aviones americanos* (# 3)

Villa's supposed exploit, the capture of American airplanes, is also re-counted in the *corrido* "La persecución de Villa." See Paredes, *A Texas-Mexican Cancionero* (1976), pp. 39–40 and 89–91. Pershing's "punitive" forces withdrew on February 6 and 7, 1917, with Villa's men still operating as guerrillas. It was not until July 28, 1920, that Villa and the remnants of his División del Norte negotiated an amnesty with the Mexican government. In 1919, however, a U.S. army airplane crash-landed in Chihuahua. Its two pilots were for a short time prisoners of a band of guerrillas. The incident, which is discussed in detail in Stacy Hinkle's *Wings and Saddles*, may have been the basis of the story about Villa's capture of the U.S. Air Corps. (I am indebted to Dr. James McNutt, Institute of Texan Cultures, for this last piece of information.)

8 *Villa cena con los americanos* (# 2)

Note the description of the diet of Pershing's soldiers, especially the ham and white bread, which *gringos* are supposed to eat to excess. Villa, disguised as a beggar, talks of his "little boys"—*muchachitos*. According to some accounts, he did refer to his men as his *muchachitos*. The anecdote brings to mind some of Robin Hood's exploits, though no direct connection is imaginable.

9 *Pershing avergonzado* (# 15)

Really two anecdotes in one, when narrator digresses and tells about the Mexicans being pursued by the *rinches*, also making the point that the *vaquero* knows how to live off the land. The main part of the anecdote retells much of the story in "La persecución de Villa" (see note for No. 7). One of the listeners interrupts with a self-directed joke, which is not very well received by the narrator.

11 *Gringos jamoneros* (# 19)

Narrator states the belief then current among rural Border people that eating too much ham (usually bacon or side meat) makes people flatulent and stupid.

12 *El asunto del Alamo* (# 8, #14, #6)

An interesting example of collaboration by two or more performers to deliver a single text. Each performer spoke immediately after the other at the same *talla* session.

13 *Como es la historia* (# 17)

Told at a *talla* session where discussion had turned to abuses done to Texas-Mexicans and how U.S. historians had distorted the *mejicano* side of Border conflict. Narrator draws the group away from a bitter mood with this story.

14 *Los hermanos Cerda* (# 15)

A dramatized version of documented history. See Paredes, *With His Pistol in His Hand* (1958), pp. 29–30, for a brief account of the murder of

Alfredo Cerda in Brownsville.

15 *Jacinto Treviño* (# 47)

See *A Texas-Mexican Cancionero*, pp. 31–32 and 69–71, for the *corrido* about Jacinto Treviño and some background about him.

16 *Cortez cautivo* (# 48)

For information about Gregorio Cortez, see *With His Pistol in His Hand*.

18 *Tomás Alba* (# 19)

According to all sources I have been able to consult, Thomas Alva Edison was born in 1847 at Milan, Ohio, of Canadian parentage. But the story that he was of Mexican descent has been attractive not only to Mexican *rancheros* but to some college-educated Chicanos as well.

23 *Los mexicanos güeros* (# 28)

Although the informant was a good performer, in this text he is telling what he accepts as a true occurrence. I once knew the men mentioned in the story, but I never had a chance to verify its authenticity after I recorded this text. At all events, the narrator's intent is to point out that language and culture more than skin color set the Texas-Mexican apart as an inferior being.

24 *Los muchachos japoneses* (# 6)

This anecdote antedates Pearl Harbor, of course. I had heard it in the early 1930s, when I lived in Brownsville.

26 *Lástima-Americans* (# 14)

"Latin" and "Latin American" were considered demeaning euphemisms by many Texas-Mexicans of my generation, who felt that Anglos called them Latins because they (the Anglos) did not want to insult them by calling them Mexicans. The narrator's etymology is way off, but he does make his point.

27 *Shopping at Woolworth's* (# 36)

By the mid-1960s, when this text was recorded, the age of shopping malls had reached Brownsville. The downtown business district, which adjoined the international bridge to Matamoros, now catered mostly to customers from across the river, and many of the signs and labels in the stores were in Spanish.

28 *¿Dónde nácio yo?* (# 17)

As a boy I remember the humiliation I felt, having to carry an ID card to cross back into the land of my birth whenever I went to Matamoros. After September 1939, we used to wonder why a local Texas-Mexican had to produce an ID card to enter the United States while a fair-haired stranger, who might be a Nazi agent, came over the bridge with no questions asked. Since World War II one is asked, "Where were you born?" and no U.S. citizen has to carry an ID card.

30 *El lápiz y la pistola* (# 16)

Told after some general talk about the way things were on the Rio Grande when the Anglos first came. The narrator was a pistol-toting deputy with a reputation for courage. His remarks are reminiscent of Woody Guthrie's "Pretty Boy Floyd": "Some will rob you with a six-gun, and some with a fountain pen."

31 *La discriminación* (# 50)

At the time of narration the political structure of Rio Grande City was dominated by Texas-Mexicans.

32 *¡Adiós!* (# 21)

The "Puerto" referred to is Port Brownsville. At the beginning of World War II there was (very briefly) a bar on the port road that did not serve Mexicans. The narrator is referring to this bar, well remembered by his listeners, except that his protagonist is an African American trying to pass for a Mexican. Or perhaps a Mexican in disguise.

35 *No comía de eso* (# 7)

In the late 1970s, some ten years after this text was recorded, a colleague told me that this joke had been used on TV by African Americans. It must have been widespread among both ethnic groups.

36 *Anglos Unite!* (# 6)

This text was recorded soon after the first Chicano "revolt" in Crystal City, 1963. The situation depicted in the jest is based on wishful thinking.

Cornejo and his associates soon were voted out of office. It was not until the 1970s that La Raza Unida, led by José Angel Gutiérrez, really took over Crystal City. But such facts are not of great interest to the narrator. He uses the Chicano movement for two purposes: to imagine the Anglo in a situation such as many Mexicans had experienced, and to make fun of the blanket ethnic designation implied by "Anglo," which in Texas has been applied to everyone who is not Black or Mexican. After all, African Americans are English-speakers too.

37 *Mr. Thomas* (# 7)

I contributed a somewhat different version of this jest to Richard Dorson's *Buying the Wind* (1964), pp. 453–454. Mexican folklorist Rubén M. Campos, a pioneer collector of Mexican jokes and urban folklore, includes a short version in *El folklore literario de México* (1929), p. 575.

39 *Little Jesus* (# 8)

This text was preceded by a dirty joke about priests and nuns, not included in this collection. Like the joke it follows, "Little Jesus" provokes laughter by putting authority figures in a ridiculous light. It also delivers a verbal thrust at some school teachers present when the jest was performed, suggesting that teachers get rid of problem students by promoting them. But the jest's main emotional impact is in presenting in joking terms a very real problem faced by many Mexican American children, that of forced assimilation.

The joke has a three-tier structure and a double punch line. It begins with a plausible, real-life situation, one that was a cause for tension in the Mexican American community. Reality is then exploded in two stages: the nun's exclamation, unlikely but still possible; the Bishop's rejoinder, which takes us completely into the world of incongruity typical of the jest.

The "acto" of the early Chicano movement made use of the Anglicizing of Spanish names by Anglo school teachers. Nieves Domínguez became Ice-Cream Sundae; Casimiro Flores was translated as I-Almost-See Flowers, and so forth.

41 *'Sté qué dice* (# 7)

In this context *mariachi* means drunk, by a series of transformations: *borracho* (drunk), *mareado* (dizzy), *mariachi*.

42 *No más inglés* (# 15)

During World War II there was an aviation training base on the Gulf coast not far from the mouth of the Rio Grande. More than one U.S. plane made a forced landing on the beach south of the river.

43 *Houses* (# 8)

Perhaps the judge in this anecdote was from East Texas. Once, while working as a consultant in that area I distinctly heard a teacher say he had taken his pupils to the local whorehouse. He meant "courthouse," of course.

44 *S.O.C.K.S.* (# 14)

José R. Reyna, *Raza Humor* (1980), p. 20, "Introduction," includes this joke in summary form as an example of jokes based on misunderstanding of another language.

45 *La suerte del phobre* (# 6)

The snobbish "white Mexican" or *agringado* is put down by the *ranchero*.

46 *Puse* (# 14)

Reyna, *Raza Humor*, No. 7, except that in Reyna's version the Anglo is not a moocher. The Anglo does stereotype the Mexican as being too interested in sex, as in our version.

47 *Frijoles y cabritos* (# 21)

A "Stupid American" joke involving other connotations of *frijol* and *cabrito* the Anglo student is made unaware of. *Cabrito* often is used as a euphemism for *cabrón* (cuckold, bastard). *Frijol* is similarly used for *pedo* (fart) as a synonym for a scolding or chewing-out. So one could translate the phrase as "What's bugging you, you bastard?"

49 *Alto* (# 18)

Reyna No. 14 uses the same play on the homonyms *alto* (high) and *alto* (halt), but his version has more "story" to it.

50 *Sima* (# 13)

Sima means "chasm," while *cima* is "summit." And, of course, "Sí, Ma" does mean "Yes, Mother."

51 *Yes* (# 7)

The performer loves bilingual word play, *groserías* for "groceries," for example. Here he includes a pair of homophones, *sien* (temple, side of the head) and *cien* (one hundred); and a pair of homonyms, *sí* (yes) and *sí* (the reflexive pronoun), as in *volver en sí* (to regain consciousness).

52 *Y otra vez 'yes'* (# 12)

Another meaning of *sí*, *dar de sí*, to give, to stretch.

55 *Se busca un carcelero* (# 10)

A Texas-Mexican ingroup joke directed not at the *gringo* but at the people "from the other side," as in No. 54 and other texts included. But this particular joke also was told on themselves by residents of Matamoros.

56 *Pin marín* (# 8)

As told in a Texas-Mexican context, it may be read as a "those from the other side" joke. But it is an old one in Mexico, according to informants a generation before mine. Before the Revolution it was told about Porfirio Díaz's famous (and "infamous") *rurales*, an elite corps of rural policemen said to have been recruited from former outlaws.

57 *El tonto-loco* (# 17)

The English had their Gotham, the Polish Jews their Helm, and the people of Jalisco have their Lagos. The popular traditions of the Lower Rio Grande area have made Cerralvo and Cadereyta, Nuevo León, and San Fernando, Tamaulipas, into towns of fools. Cadereyta and Cerralvo are relatively small cities not far from the metropolis of Monterrey. San Fernando lies between the populous areas to the south, such as Tampico and Ciudad Victoria, and the equally populous ports of entry to the north, such as Matamoros/Brownsville and the two Laredos. Although jokelore has made them hick towns and towns of fools, these three cities have produced some distinguished citizens. In No. 57 the fool turns out to be a pretty sharp customer, a reversal of the Helm and Gotham traditions, in which the wise men turn out to be fools. In this and subsequent texts, narrators use *loco* to mean both "fool" and "crazy."

58 *El círculo encantado* (# 22)

A San Fernando jest, but more like U.S. rough-and-ready rural accounts than a numskull joke. Note the use of the "mother" curse/charm. Had

Houdini been a Mexican he might have said, "¡Con safos!" and walked out.

59 *¡Águila con el velís!* (# 14)

El interior ("interior Mexico," usually meaning the central plateau) is said to begin at San Luis, Potosí. The people of *el interior* are supposed to have very light fingers. There is a saying that makes the same point this story does, "¡Águila con el velís! ¡Ya pasamos de San Luis!" Reyna No. 167.

60 *El ladrón* (# 14)

A "los del otro lado" joke. It is obvious that the informant learned it from the generation preceding his. Otherwise an automobile would have been substituted for the horse, and the stolen car would be parked in front of the municipal palace. There was a time, however, when theft of horses moved from Mexico into Texas. See the *Informe de la Comisión Pesquisidora de la Frontera del Norte*, where it is reported (p. 31) that some horses stolen from Leonides Guerra near Matamoros in 1872 were found in the possession of the sheriff of Beeville county, Texas.

61 *Los capitanes* (# 8)

Clearly a jab at "los del otro lado." The voice from among the listeners makes still another point. The equivalent to a bachelor's degree in the U.S. is a *licenciatura* in Mexico, and the recipient usually assumes the title of *licenciado*, or Lic. before his name.

62 *Cuestión titular* (# 24)

For artistic purposes the narrator becomes a character in his own joke. Told immediately after No. 61 and making the same point.

63 *Arnulfo y los tejanos* (# 20)

By *tejanos* the narrator means Texas-Mexicans. Arnulfo (not his real name) was a resident of Matamoros. He was eccentric, independent, and unpredictable. See Paredes, *Folktales of Mexico* (1970), Nos. 21 and 22, pp. 40–42, for two other Arnulfo anecdotes in English translation.

64 *La inundación en San Fernando* (# 20)

This account of the flood in San Fernando is a favorite among performers on both sides of the Rio Grande. Reyna No. 49. A psychiatrist at an insane asylum can't stop a patient from pretending he is a light bulb because then they'll all be in the dark.

67 *Los bolillos* (# 11)

I have heard other versions, not recorded, where the student hears *pino-lillos* (chiggers), insects that do "bore away at you" and cause extreme irritation.

72 *Me Too, Lupie* (# 14)

Reyna No. 8.

75 *El trato con el diablo* (# 28)

When a Texas-Mexican broke wind among a group of male friends, he was likely to repeat the demand the Mexican in this story makes of the Devil.

Roger Abrahams, *Deep Down in the Jungle* (1964), No. 53. Colored man in Hell farts while sitting on a tin can with four holes bored on the sides. Challenges Devil to guess which hole the fart came out of. Devil says it came out of the left hole. Trickster answers it came out of his asshole.

76 *El pescador* (# 24)

This text and a number of others following belong to a cycle of jokes where the American, usually a tourist, is put down or fooled because he is naive, a meddler, or greedy. I have labeled them the "Stupid American" cycle.

80 *El perdido* (# 13)

Here this dialogue is a "Stupid American" joke, but it is well known in the U.S. as part of "The Arkansas Traveler."

82 *Gente de mucha cabeza* (# 17)

A very old joke and one that has been used in Chicano literature as well. On the surface it is just another Stupid American joke, but it is an echo of a grim event in Mexican history. Francisco Villa was assassinated in Parral, Chihuahua, in June 1923. Three years later his grave was violated, and the corpse's head was stolen. What happened to Pancho Villa's head is still a matter of conjecture. Some say it was bought by American scientists who wanted to study it; others say it was bought by a wealthy American collector. On one thing all accounts agree, that the head was bought by an American and is in the United States.

85 *La vista engaña* (# 13)

Reyna No. 1.

86 *Sicología* (# 41)

Though recorded in the 1960s, this jest belongs to the pre-World War II period, when the Mexican peso was 3.60 to the dollar or thereabouts and 100 pesos was a considerable sum.

87 *El burro obediente* (# 24)

cf. Reyna No. 128.

88 *Burro'clock Time* (# 6)

I recorded this jest in the mountains of Durango, Mexico City, and East Chicago, Indiana, among other places; but this Texas-Mexican version is the best, told as it was during a *talla* session by a master performer and improviser. The gullible tourist couple become faculty members at the University of Texas because the collector belonged to the UT faculty.

89 *No estiendo* (# 30)

I contributed a different version of this jest to Richard Dorson's *Buying the Wind*, pp. 452–453.

90 *Mr. Quiensabe* (# 28)

One of the oldest Border jokes that I know of. But it still is being told, as the narrator says, even by talented performers like himself.

Cf. Dorson, *Negro Folktales in Michigan* (1956): "Colored Man and the Mexican," p. 79. Mexican keeps saying "Me no sabe" until Colored Man slaps him. In some ways Dorson's anecdote resembles our No. 89.

92 *Lázaro y los aleluyas* (# 28)

Other versions are attributed to a wandering evangelizing preacher immortalized by Rolando Hinojosa as "el hermano Tomás Imás" in *Klail City y sus alrededores* (La Habana, 1976). Reyna No. 16.

95 & 96 *Cortesía mexicana: El reloj & La navaja* (# 20 & #5)

Reyna No. 120.

Most Texas-Mexicans are familiar with the Anglo complaint that Mexicans are "insincere" because they will say, "It is yours" when someone admires something they possess, although they have no intention of giving it away. *Es suyo* is a conventional way of saying "Thanks," just as "How are you?" is an Anglo conventional phrase meaning "Hello." The jest was applied to President Kennedy when he visited Mexico, but it is much older than the early 1960s. No. 96 is another example, without a pseudohistorical context.

99 *Juan Sánchez* (# 6)

Sancho is an old Spanish name, borne by several kings during the Middle Ages. It is derived from the Latin *sanctus* ("holy" or "venerable"). Apparently common people thought of the swine as evil and preferred to use euphemisms in referring to it. One was *sancho*. In Mexico the word came to mean a barnyard animal kept for a pet—a piglet or a kid. Later *sancho* came to mean a married woman's lover, her pet. The Mexican tendency to ring all kinds of changes on words led to Sánchez and then to Juan Sánchez for a married woman's lover. Jest No. 99 has been a Texas-Mexican favorite among the "Stupid American" category.

100 *Juan Brown* (# 28)

Told immediately after No. 99. Obviously a borrowing from Anglo jokelore. No Mexican would consider dark-eyed women less faithful than women with blue eyes.

102 *The Mexican Jew* (# 22)

The protagonist was a real person, a bilingual, dark-skinned Jew with a reputation as a trickster. Acquaintances from the northeastern U.S., however, tell me that the same story has been attached to some wealthy and well-known African Americans. Here the Jew masquerades as a Mexican, but behind the joke is the Mexican masquerading as a Jew. The pleasure of the masquerade is one that Border bilinguals often experience when strange Anglos address them in broken Spanish.

106 *Wilson y Carranza* (# 3)

Reyna No. 127, "George Washington y Benito Juárez."

110 *Los de Guadalajara* (# 17)

The men of Guadalajara are touted as the roughest, toughest *machos* in Mexico. Other Mexicans, north and south of the border, have retaliated by depicting the *tapatíos* as limp-wristed homosexuals. For a version collected on the border in 1935, see Paredes, "Tag, You're It," *JAF* (1960). A number of English-language versions, often horror stories, have also been reported.

111 *Texas-Size* (# 21)

Told immediately after No. 110 and clearly a borrowing from Anglo jokelore. But not from the lore of Texans. This joke has been popular with citizens from the other 49 states, especially with those from Alaska and California. Note that in this obviously Anglo joke the size of the penis (or the lack of size) plays an important part, just as it does in some Mexican jokes.

112 *El que lo tenía todo* (# 42)

Brunvand, *SFQ* 24 (1960), pp. 235–238, is an Alaskan variant. Known in some parts of Texas as an Aggie joke.

115 *El tiempo es buen amigo* (# 24)

The point made here in jest, that American men are sexually permissive in regard to their wives, is made in all seriousness in the legendary anecdote. See No. 4, where the narrator says about American men, "... no les importa a ellos nada la virtud de la mujer."
Reyna No. 66.

116 *¿Cómo se llama?* (# 28)

Jiménez (1962), p. 57.

122 *La torera* (# 3)

Jiménez, p. 49, is in the form of a riddling joke.

125 *Hay que saber perder* (# 6)

Robe, *Hispanic Folktales* (1977), No. 168.

126 *El tejano y las chinches* (# 28)

Robe, *Mexican Tales and Legends from Veracruz* (1971), No. 23. Robe,

Index of Mexican Folktales (1973), Type *798. Two Puerto Rican texts, almost identical to our No. 126, are found in J. Alden Mason, "Porto-Rican Folk-Lore," *JAF* 42 (1929), Nos. 127 and 128. Here the braggart also is an American. The Puerto Rican puts a crab/tortoise in the American's bed and says it is a bedbug/flea. Mason's No. 127 is titled "La chinche yanqui."

127 *Por muy poquito* (# 27)

Reyna No. 92.

129 *Una cuestión estiercolar* (# 24)

"Not knowing shit" about something is an expression more likely to be used by an Anglo than by a Mexican. I first heard a short version of this jest in 1955 from a Texas-Mexican of El Paso, told in English. Informant #24 said he learned the joke in Mexico. Whatever its origins, #24 embellishes the story, adds gestures and intonation, making it a joke ridiculing the PRI, Mexico's ruling political party.

130 *Magia mexicana* (# 14)

Reyna No. 68.

133 *El Güero Pelos* (# 22)

Told about an actual person, but it is the attitude expressed that is significant rather than the imputed historicity of the anecdote. As in other jokes about smuggling, there is some pleasure in the violation of artificial barriers created between two groups of the same people.

136 *¿Dónde nácio?* (# 20)

One of the best-known jokes along the Border. It is not as widespread throughout the Greater Mexican area as the one about the burro that told the time but well known along the Texas side of the Rio Grande.

141 *At The Ball Game* (# 6)

An old one among both *mejicanos* and Anglos. Probably a borrowing from Anglo jokelore. Cf. English-language saying, "No way, José!"

143 *El brindis del mexicano* (# 14)

Narrator said he first heard this jest in Mexico City; it was current along the Border by the 1930s. A graduate student from Peru in 1978 reported the same joke in her country, with the toasts being made by an Argentinian, a Chilean, and a Peruvian. There are rhymed analogues in the United States.

146 *Llegando al cielo* (# 21)

The age of this story in Mexican oral tradition is evident from the behavior of the Englishman. He is rude and arrogant, and he pays his five-dollar entrance fee with a gold coin, probably a sovereign, which was equivalent to a pound, or five dollars, in the days when Britannia ruled the waves. At that time, also, some Britons felt they ruled the whole earth and that Britain would protect them anywhere they were and whatever they might do. The case of William G. Benton may have been fresh in the minds of Mexicans when they introduced an Englishman into this widely known story. William Benton owned a ranch in northern Chihuahua and considered himself immune from the vicissitudes of the Revolution because he was a British subject. He was enraged when *villistas* "requisitioned" some of his cattle, and on February 14, 1914, he burst into Francisco Villa's presence, armed with a pistol and demanding that his cattle be returned to him. After a few hot words he tried to draw his gun. Villa grappled with him, and Benton was disarmed. Villa then turned Benton over to his top executioner, Rodolfo Fierro, who took the Englishman out and shot him. The British government threatened to use armed force against Mexico but was prevented by the United States, which considered Mexico part of its own demesne.

Variants of this story are common in African American jokelore. J. Mason Brewer, *The Word on the Brazos* (1953), pp. 88–89, "Good Friday in Hell": The Negro does not have the ten dollars to get out of Hell but offers to give the Devil eleven dollars, on credit. Also Dorson, *American Negro Folktales* No. 70d, and Dorson, *Negro Folktales from Michigan*, p. 77.

148 *Mexicans Come High* (# 23)

Recorded during a *talla* session in 1962. The Sunday supplement in the Austin, Texas, newspaper for October 7, 1982, printed a shorter version, with cleaned-up language and directed at hippies instead of Mexicans.

154 *El mojado en la Gloria* (# 3)

Aiken, *TFSP* 12 (1935), pp. 10–13. Aiken, *Mexican Folktales* (1980), pp. 29–32. Reyna, No. 130.

155 *El submarino mexicano* (# 7)

Robe, *Hispanic Folktales* No. 187.

159 *Medicina universal* (# 24)
160 *El de la araña* (# 24)
161 *El del petróleo* (# 24)
163 *Enfermedad mexicana* (# 24)
164 *La receta del doctor* (# 8)
165 *De vacas a viejos* (# 24)

First published in English translation in *Spanish-Speaking People in the United States*, ed. June Helm (1968): Paredes, "Folk Medicine and the Intercultural Jest," pp. 104–119.

168 *Los trece apóstoles* (# 6)

Wheeler (1943), No. 14. The drunken painter rubs out the thirteenth apostle and the Indians who commissioned the painting are satisfied.

El Ahuizotito, Semanario de buen humor (Mexico, July 12, 1931): An Englishman is about to buy the painting when he notices the extra apostle. He says, "Pues, cuando él marcharse, mí dar las monedas."

"No soy apóstol ni soy nada" was used proverbially on the Border when one declined to take part in a dispute.

The exchange between the performer and one of his listeners (*devota/de botas*) makes reference to the fact that during the late 1930s and early 1940s street walkers in Brownsville (and in other places, probably) wore short skirts and white boots.

169 *A perder o ganar* (# 8)

Recorded in Brownsville in September 1962. The comic strip "Pogo" depicted very much the same situation a couple of months later.

171 *Juan Huarache* (# 22)

A good example of the "agringado" joke. For an American Jewish analogue, see Richard Dorson, "Jewish-American Dialect Stories on Tape," No. 42, p. 147: "Name Changing: Cohen or Levy?" in Raphael Patai, et al., *Studies in Biblical and Jewish Folklore* (1960). Both Cohen and Levy change their names to Vanderbilt, so they are known as the Cohen Vanderbilt and the Levy Vanderbilt.

173 Los mexicanos en UT (# 7)

The narrator got his bachelor's degree at a college other than the University of Texas. The collector was from UT and in the English Department.

175 Los dos turistas (# 14)

Turista (tourist) was sometimes used by Texas-Mexicans for migrant workers from Mexico.

177 Bien servido (# 38)

Recorded in Mexico City. The Texas-Mexican is called a *pocho* because he mixes English with his Spanish, but the narrator does not notice that he is doing the same thing when he uses *donas* for "doughnuts."

179 San Antonio chamaco (# 12)

Robe, *Mexican Tales and Legends from Los Altos*, No. 204. Robe's text was published in English translation in Paredes, *Folktales of Mexico*, pp. 178–179.

General Note for Nos. 181–184: The use of the article "La" with a first name can have at least two connotations. Used of a little girl it implies affection. When used of mature women, there is a suggestion of notoriety. Double entendre use of "La" before a feminine name goes back in Mexican jokelore at least to the shepherds' plays. Bartolo, the lazy shepherd, refuses to get up and adore the Christ Child. He is told that glory ("La Gloria") awaits him. He answers, "Si La Gloria quiere verme, que venga La Gloria acá." Bartolo is lying down at the time.

181 Manteniendo La Constitución (# 24)

Aside from the pun on "La Constitución" this text also makes use of a device common to Border Mexican folklore, that of the naiv⸗ ⸗exican applying for U.S. citizenship.

182 El señor Madero y La Constitución (# 8)

Recorded on the Border in 1962. On April 4, 197
of the Mexico City daily *Excelsior* carried an artic'
"Mitología de la Revolución Mexicana," whic⸗
been current in 1911, when Madero entered '
Díaz dictatorship.

183 *La Flora y La Fauna* (# 23)

I contributed a Matamoros version of this jest to Dorson, *Buying the Wind*, p. 454, which was collected some thirty years before this Cerralvo text. Cerralvo, once Ciudad de León and briefly the capital of the Nuevo Reino de León, has attained its status in Border jokelore as a town of fools and crazies because of its historical relation to Monterrey and the fact that its name lends itself to the word play typical of the *albur*: Cerralvo becomes *cerrado* (dim-witted). "Es de Cerralvo" is a way of saying, "He/she is a blockhead."

184 *La güera latina* (# 8)

President and Mrs. John Kennedy visited San Antonio, Texas, before their trip to Mexico to meet with President López Mateos. While in San Antonio, Mrs. Kennedy spoke in Spanish at a banquet hosted by Mexican American leaders. Apparently her Spanish was so bad that few *mejicanos* present could make out what she said. A national news weekly, however, reported that Mrs. Kennedy had spoken in pure Castilian, a language her Mexican American listeners could not understand.

185 *El total* (# 24)

The man of the Mexican Revolution, uncultured but heroic, was projected into post-Revolutionary jokelore much as Davy Crockett and other American frontier heroes retained both heroic and comic features in the folklore of the U.S. Similar stories were told about the Rio Grande area chieftains who lived from the 1840s to the 1890s.

186 *Cuando se perdió Washington* (# 24)

Reyna No. 44, "¿Ónde está Dios?" Robe, *Los Altos*, No. 181; Robe, *New Mexico*, No. 173; Rael, *Cuentos españoles*, No. 442.

188 *Rayando el jol* (# 32)

The Spanish equivalent of "hall," in the sense of corridor or passageway in a building, is *pasillo*. But "hall" (pronounced *jol*) is so common throughout Spanish America that the 1989 edition of the *Pequeño Larousse Ilustrado* includes it. There is also a tendency among some rural Mexicans to pronounce the "s" like a soft *jota*, something like an English "h," especially "s" is intervocalic: "nojotros" for "nosotros," for example.

189 *Falto de datos* (# 7)

Jiménez, *Picardía mexicana*, p. 54, lists the kernel of this jest as a riddle joke. I recorded it as such in Mexico City in the 1960s. The Texas-Mexican performer turns the riddle into a dialogue between two *compadres* and adds more spice to the story with a bit of word play (*albur*).

190 *Darwinismo mexicano* (# 6)

Like text No. 189, this was recorded in Mexico City as a riddle. The Border Mexican shows a preference for dramatizing riddle jokes like these, most often using two *compadres* as characters and a beer joint for the setting.

192 *¡Primero El Chamizal! ¡Después Tejas!* (# 46)

In 1864 the Rio Grande altered its course between El Paso, Texas, and what would later be Ciudad Juárez, transferring more than 600 acres from the outskirts of Ciudad Juárez to El Paso, which began to develop the land. Mexico laid claim to the piece of land, and a long diplomatic dispute arose, until 1910, when the U.S. agreed to abide by the decision of an arbitration commission made up of representatives from the U.S., Mexico and Canada. The Canadian member voted in favor of Mexico, and the U.S. government ignored the commission's decision. It was not until 1963, during President Kennedy's administration, that the 1910 decision was honored by the U.S.

193 *Asuntos de compra y venta* (# 7)

"La Kineña," which one *compadre* wants to sell to the other, is the huge King Ranch, put together from smaller ranches once owned by Mexicans. The descendants of the original owners claim that their ancestors lost their lands through fraud and intimidation.

197 *No se ven muy bien* (# 6)

A cruel joke rather than an ethnic one. About 1980 I heard a colleague on the UT Austin campus use it in regard to the Argentine poet Jorge Luis Borges, who also was blind. The two meanings of "No nos puede ver" (He can't see us vs. He can't stand the sight of us) make this joke difficult to translate.

198 *Los compadres pescadores* (# 14)

Richard Dorson, "Maine Master Narrator," *Southern Folklore Quarterly* 8 (1944), p. 282.

199 *Le tocó la mala suerte* (# 8)

Who is the butt of the joke? The *compadre* who euphemizes his daughter's adulterous ways? Or the daughter's husband, who allows himself to be cuckolded?

200 *¡Ah raza!* (# 14)

Raza as used by Mexicans and Mexican Americans does not translate into English as "race." It is closer to "our people" or "our heritage." What people in the U.S. celebrate as "Columbus Day" is celebrated in Spanish America as "El Día de la Raza." But sometimes Mexican Americans use the phrase "¡Ah raza!" contemptuously, to condemn what they see as the reprehensible characteristics of some Mexicans, usually those Mexicans whom the speaker considers below him socially. This jest satirizes the "¡ah raza!" practice.

204 *Las tres comadres* (# 6)

Regarla—to make a grossly stupid mistake—is still used by younger Mexican Americans.

207 *Las cuatro letras* (# 16)

The man whom the narrator pointed out as his illiterate companion was literate in both English and Spanish.

209 *Muy vivos los americanos* (# 24)

The narrator tells this jest using the "dos compadres" format, but I remember hearing it before World War II as a deadpan first-person performance. The narrator remarks how stupid he is; he is middle-aged and still doesn't speak English well, while Anglo children have no difficulty with the language. Apparently the joke has a long history, going back to Spain. Consider the following *décima*, which has the marks of a cultivated pen making use of popular tradition.

> Asombróse un portugués
> al ver que en su tierna infancia
> todos los niños en Francia
> sabían hablar francés.
> "Raro fenómeno es,"
> dijo torciendo el mostacho,
> "que para hablar el gabacho
> un fidalgo en Portugal

llega a viejo y lo habla mal
y aquí lo parla un muchacho."

—Verbal communication from Pablo Poveda,
graduate student from Spain

211 *¡Y se acabó la cuestión!* (# 23)

Jiménez, *Picardía mexicana*, pp. 32–33. In the Jiménez version the
Mexican ambassador is well-intentioned but stupid. In our version the ambassador is a no-nonsense *ranchero* type who puts down the other envoys
and brings to an end what he regards as a silly charade. To him, a few farts
are nothing to get worked up about.

213 *En Robestáun* (# 7)

Coming north from the Border one passes through Robstown, a fairly
small city, before reaching Corpus Christi. Robstown was supposed to be a
place where everybody danced polkas, *tacuachitos, cumbias* and other kinds
of *conjunto* music.

214 *La seña secreta* (# 28)

The *violín* is made by placing the first and second fingers of the hand
in the form of a V under one's nose, and then rubbing the V up and down
against the sides of the nose and the upper lip.

217 *¡Ahi vienen los gringos!* (# 3)

Paredes, "Estados Unidos, México y el machismo," p. 71. Brenner and
Leighton, *The Wind That Swept Mexico*, pp. 96–97. During World War II,
the general public in Mexico was extremely ambivalent about a declaration
of war on Germany, a former friend, and making an alliance with the United
States, the traditional enemy. The Mexican government, in consequence,
did not declare war on the Axis immediately after Pearl Harbor. Early in
May of 1942, however, the Mexican tanker "Potrero del Llano" was sunk by
a German submarine. Rumors circulated in Mexico that the tanker had been
sunk by the United States so that Mexico would declare war on the Axis.
The Mexican government hesitated until a second tanker, the "Faja de Oro,"
was sunk. Then it declared war. More than twenty years later, Informant
#3 expresses Mexican reluctance about entering the war: " ... pos no hubo
más remedio. Se declaró la guerra." According to Lorenzo Meyer, the U.S.

discouraged Mexico from sending troops overseas, except for an airforce squadron, the celebrated Escuadrón 201 (see No. 158). Mexico did allow the U.S. to draft Mexican citizens in this country. Fifteen thousand Mexican citizens saw combat in the U.S. land forces and suffered casualties of ten percent. (Vázquez and Meyer, pp. 182–184). Though it sent no land troops overseas, Mexico did make use of the declaration of war to achieve greater social cohesion by creating local militias. Civilians were required to take military training once a week. Our No. 217, in many variations, was one of the ways Mexicans relieved some of the tension created by the alliance with the U.S.

References Cited

Abrahams, Roger D., *Deep Down in the Jungle: Negro Narrative Folklore from the Streets of Philadelphia* (Hatboro, Pennsylvania, 1964).

Aiken, Riley, *Folktales from the Borderland* (Dallas, 1980).

———, "A Packload of Mexican Tales," Texas Folklore Society Publications 12 (1935), pp. 1–87.

Brenner, Anita, and George M. Leighton, *The Wind That Swept Mexico* (New York, 1943).

Brewer, J. Mason, *The Word on the Brazos: Negro Preacher Tales from the Brazos Bottoms of Texas* (Austin, 1953).

Brunvand, Jan H., "Thor, the Cheechako, and the Initiates: A Modern Parallel for an Old Jest," *Southern Folklore Quarterly* 24 (1960), pp. 235–238.

Campos, Rubén M., *El folklore literario de México* (Mexico, 1929).

Dorson, Richard M., ed., *American Negro Folktales* (New York, 1967).

———, ed., *Buying the Wind* (Chicago, 1964).

———, ed., *Negro Folktales in Michigan* (Cambridge, Massachusetts, 1956).

Helm, June, ed., *Spanish-Speaking People in the United States* (Seattle, 1968).

Hinkle, Stacy C., *Wings and Saddles: The Air and Cavalry Punitive Expedition of 1919* (El Paso, 1967/1974).

Informe de la Comisión Pesquisidora de la Frontera del Norte al Ejecutivo de la Unión, Monterrey, Mayo 15 de 1873 (Mexico, 1877).

Jiménez, A[rmando], *Picardía mexicana* (Mexico, 1962).

Mason, J. Alden, "Porto-Rican Folk-Lore: Folk-Tales. VI. Cuentitos y Anécdotas," *Journal of American Folklore* 42 (1929), pp. 98–156.

Paredes, Américo, "The Anglo-American in Mexican Folklore," *New Voices in American Studies*, ed. Ray B. Browne, et al., (West Lafayette, Ind.: Purdue University Press, 1966), pp. 113–128.

———, "Estados Unidos, México y el machismo," *Journal of Inter-American Studies* 9 (1967), pp. 65–84.

———, *Folktales of Mexico* (Chicago, 1970).

———, "José Mosqueda and the Folklorization of Actual Events," *Aztlán: Chicano Journal of the Social Sciences and the Arts* 4 (1973), pp. 1–30.

———, "On Ethnographic Work among Minority Groups: A Folklorist's Perspective," *New Scholar* 6 (1977), pp. 1–32.

———, "Tag, You're It," *Journal of American Folklore* 73 (1960), pp. 157–158.

_____ , *A Texas-Mexican Cancionero*: *Folksongs of the Lower Border* (Urbana, Ill., 1976).

_____ , *With His Pistol in His Hand*: *A Border Ballad and Its Hero* (Austin, 1958).

Patai, Raphael, et al., eds., *Studies in Biblical and Jewish Folklore* (Bloomington, Indiana, 1960).

Peña, Manuel H., "Class, Gender, and Machismo: The 'Treacherous-Woman' Folklore of Mexican Male Workers," *Gender and Society* 5:1 (1991), pp. 30–46.

Rael, Juan B., *Cuentos españoles de Colorado y de Nuevo Méjico* (Stanford, 1957).

Reyna, José R., *Raza Humor: Chicano Joke Tradition in Texas* (San Antonio, 1980).

Robe, Stanley L., ed., *Hispanic Folktales from New Mexico*: *Narratives from the R.D. Jameson Collection* (Berkeley & Los Angeles, 1977).

_____ , *Index of Mexican Folktales* (Berkeley & Los Angeles, 1973).

_____ , *Mexican Tales and Legends from Los Altos* (Berkeley & Los Angeles, 1970).

_____ , *Mexican Tales and Legends from Veracruz* (Berkeley & Los Angeles, 1971).

Vázquez, Josefina Zoraida, y Lorenzo Meyer, *México frente a Estados Unidos*: *Un ensayo histórico, 1776–1980* (Mexico, 1980).

Wheeler, Howard T., *Tales from Jalisco, Mexico* (Philadelphia, 1943).